Chirurgische Gastroenterologie interdisziplinär

Supplement 2, Band 21, Dezember 2005

AF821063

Gegründet 1984 als «Chirurgische Gastroenterologie mit interdisziplinären Gesprächen» durch A. Akovbiantz, H. Denk, K.-J. Paquet und C. E. Zöckler.

KARGER

Basel · Freiburg · Paris · London · New York ·
Bangalore · Bangkok · Singapore · Tokyo · Sydney

Impressum

Die Zeitschrift erscheint vierteljährlich: pro Jahr erscheint 1 Band zu je 4 Heften. Bezugspreise für Jahrgang 21, 2005: Print-Abonnement EUR 174,–, Online-Abonnement EUR 174,–, Kombi-Abonnement Print/Online EUR 207,–, einschließlich MwSt., zuzüglich Postgebühren. Der Abonnementpreis ist im Voraus zahlbar. Das Abonnement der Zeitschrift läuft weiter, wenn es nicht spätestens 4 Wochen vor Abschluss eines Bandes abbestellt wird. Abonnementbestellungen können bei jeder Buchhandlung oder direkt beim Verlag aufgegeben werden:

Deutschland:
S. Karger GmbH
Lörracher Str. 16 a
D-79115 Freiburg
Tel. +49 761 45 20 70
Fax +49 761 4 52 07 14
E-mail Information@Karger.de

Übrige Länder:
S. Karger AG
Allschwilerstr. 10
CH-4009 Basel
Tel. +41 61 3 06 11 11
Fax +41 61 3 06 12 34
E-mail Karger@Karger.ch

Anzeigen: S. Karger
Verlag für Medizin und Naturwissenschaften GmbH,
Lörracher Str. 16 a. D-79115 Freiburg, Tel. +49 761 45 20 70.
Gültig ist die Preisliste Nr. 12 vom 1. Januar 2005.

Supplement 2, Band 21, Dezember 2005
ISBN 3-8055-8065-7

Verlagsleitung und presserechtlich verantwortlich:
Sibylle Hopf
Anzeigenleitung: Susanne Meister
Produktionsleitung: Georg Brunner

Herstellung: druckhaus köthen GmbH
Friedrichstraße 11/12, D-06366 Köthen/Anhalt

Bibliographische Dienste:
EMBASE / Excerpta Medica
Reference Update
Science Citation Index Expanded

KARGER

Fax +49 761 452 07 14
E-mail Information@Karger.de
www.karger.com

© 2005 S. Karger GmbH, Freiburg

Home Page der Zeitschrift:
www.karger.com/cga

Supplement 2,
Band 21,
Dezember 2005

Chirurgische Gastroenterologie Interdisziplinär

Hubertus Feußner, München
Peter Michael Schlag, Berlin
(Hrsg.)

Mechatronik und Telematik in der Viszeralchirurgie

29 Abbildungen, 3 farbig, 8 Tabellen

KARGER

Basel · Freiburg · Paris · London · New York ·
Bangalore · Bangkok · Singapore · Tokyo · Sydney

Chirurgische Gastroenterologie Interdisziplinär

Inhalt · Contents

Band 21, Supplement 2, Dezember 2005

Vol. 21, Supplement 2, December 2005

KARGER

Fax +49 761 452 07 14
E-mail Information@Karger.de
www.karger.com

Accesible online at:
www.karger.com/cga

Chirurgische Gastroenterologie Interdisziplinär

Editorial

Chir Gastroenterol 2005;21(suppl 2):V–VI
DOI: 10.1159/000089340

Mechatronik und Telematik in der Viszeralchirurgie

Hubertus Feußner[a] Peter Michael Schlag[b]

[a] Chirurgische Klinik und Poliklinik, Klinikum rechts der Isar, Technische Universität München,
[b] Klinik für Chirurgie und Chirurgische Onkologie, Robert-Rössle-Klinik im HELIOS Klinikum Berlin-Buch, Charité-Universitätsmedizin Berlin, Campus Berlin-Buch, Deutschland

Mit den Begriffen «Mechatronik» und «Telematik» werden besonders zukunftsträchtige Technologien verbunden, die die wirtschaftliche Entwicklung in Zukunft stimulieren und bestimmen sollen. Eine genaue Beschreibung dessen, was sich hinter diesen Ausdrücken verbirgt, fällt wahrscheinlich schwerer, und erst recht die Übertragung auf mögliche Anwendung in der Viszeralchirurgie.

Sowohl Mechatronik als auch Telematik sind Kunstworte, die aus der Kombination zweier unterschiedlicher Begriffe hervorgegangen sind. Mechatronik entstand aus Mechanik und Elektronik und beschreibt Maschinen- bzw. Gerätesysteme, deren Funktion nicht nur auf der mechanischen Funktion, sondern auch auf der Integration von elektronischen Lösungsansätzen im weitesten Sinne beruht. Telematik wiederum ist ein Kunstwort aus Telekommunikation und Informatik. Telematik in der Medizin wird auch als Telemedizin oder «E-Health» bezeichnet. Entsprechend breit sind auch die Anwendungsfelder der Telematik in der Medizin. Sie reichen von der präoperativen Therapieplanung bis zur Telechirurgie oder der Simulation chirurgischer Eingriffe in der virtuellen Realität.

Die konkrete heutige Bedeutung dieser unterschiedlichen Aspekte von Mechatronik und Telematik in der Viszeralchirurgie ist noch sehr unterschiedlich. Telematikanwendungen haben bereits Einzug in den klinischen Alltag gehalten, während mechatronische Hilfssysteme nach einer Phase der anfänglichen Überschätzung bisher noch kaum praktische Bedeutung erlangen konnten. In den folgenden Artikeln soll eine aktuelle Bestandsaufnahme dieser High-Tech-Anwendungen in der Viszeralchirurgie unternommen und gleichzeitig eine Abschätzung der künftigen Entwicklungen gewagt werden. Dabei sind die thematischen Abgrenzungen Navigation, Bildgebung, Robotik, Telemedizin, Simulation sowie Mikro- und Nanosystemtechnik nur vordergründig. Die Übergänge sind fließend, und bei kaum einer klinischen Anwendung wird ein Themenbereich für sich allein zum Einsatz kommen: Erst das Zusammenwirken der unterschiedlichen mechatronischen und telematischen Technologien ermöglicht weitere Fortschritte.

Damit ist zwangsläufig die Frage «cui bono» verbunden. Was (und wem) nützen diese für sich genommen sicher eindrucksvollen technischen Raffinessen? Der Leser darf zu Recht fordern, dass bereits erreichte oder zumindest zu erwartende Nutzanwendungen in den folgenden Darstellungen ebenfalls aufgezeigt werden. Am ehesten ist dies heute schon für die Telematik möglich, wobei hier exemplarisch die Themenbereiche Telemedizin, präoperative Bildgebung, Navigation und Simulation dargestellt werden.

Im Beitrag von Wilhelm et al. [1] wird deutlich, dass unter anderem durch die Einführung der neuen Gesundheitskarte in Verbindung mit dem neuen Heilberufsausweis in Kürze eine umfassende Vernetzung des Gesundheitswesens erreicht werden wird. Davon werden sicher alle Bereiche der Medizin profitieren, aber die Viszeralchirurgie mit ihrem hohen Anteil an onkologischen Patienten ganz im Besonderen. Telemedizin beschränkt sich aber nicht nur auf die prä- bzw. postoperative Phase. Auch während des eigentlichen Eingriffs kann der Operateur von den Möglichkeiten der Online-Telekonsultation bzw. der Telepräsenz profitieren, in dem er bei Bedarf auch externe Kompetenz sozusagen in den OP holt.

Ähnlich überzeugende Optionen bietet die präoperative Planungsbildgebung, insbesondere in der Leberchirurgie. Erste Daten deuten darauf hin, dass besonders bei komplexeren Resektionsfällen (z. B. erweiterte Hemihepatektomie rechts oder bei zentralen Lebertumoren) die von Lamadé et al. [2] beschriebene Bildgebung eine entscheidende Hilfestellung bei der Therapieplanung geben kann. Es ist zu erwarten, dass diese Möglichkeiten auch bald für die Chirurgie anderer parenchymatöser Organe (z. B. Pankreas) eröffnet werden.

Auch die Navigation wird künftig für die Viszeralchirurgie an Bedeutung gewinnen. Die wissenschaftliche Methodik, zuverlässig zu bestimmen, wo man sich befindet und wie die räumliche Beziehung zu anderen relevanten Objekten ist, stammt ursprünglich aus der Seefahrt. In der Chirurgie und insbesondere der Viszeralchirurgie war die Kunst der Navigation solange kein Gegenstand des Interesses, wie man über einen großen Zugang die Anatomie rasch und übersichtlich freilegen konnte: Das Wissen über die Anatomie zusammen mit dem Einblick in den Situs und der Tastsinn reichten aus, um dorthin zu gelangen, wo eingegriffen werden musste. Seit

KARGER

Fax +49 761 452 07 14
E-mail Information@Karger.de
www.karger.com

Accessible online at:
www.karger.com/cga

Prof. Dr. Hubertus Feußner
Chirurgische Klinik und Poliklinik, Klinikum rechts der Isar
Technische Universität München
Ismaninger Straße 22, 81675 München, Deutschland
Tel. +49 89 41 40-20 30, Fax -60 30
E-mail feussner@nt1.chir.med.tu-muenchen.de

aber die Traumaminimierung, z. B. durch Reduktion des Zugangs, zu einem zentralen Anliegen der modernen Chirurgie geworden ist, hat auch die Navigation an Bedeutung gewonnen. Ein Eingriff kann umso zielgerichteter und damit schonender gestaltet werden, je besser die anatomische Situation bekannt ist. Anders als in der Chirurgie des Stütz- und Bewegungsapparats ist die Einführung moderner Navigationsverfahren in der Viszeralchirurgie aber um Größenordnungen schwieriger, da an nichtrigiden Strukturen gearbeitet wird und zudem die in der Orthopädie/Unfallchirurgie und Neurochirurgie verwendeten optoelektronischen Verfahren nicht eingesetzt werden können. In dem Artikel von Kleemann et al. [3] werden die gegenwärtig noch bestehenden Probleme, aber auch die bedeutenden Chancen der Navigationsverfahren geschildert.
Mit den vorgenannten telematischen Modulen der schnellen Datenverarbeitung, Bildverarbeitung und Navigation ist durch die Einbeziehung geeigneter «user interfaces» auch die Simulation chirurgischer – insbesondere minimal invasiver Eingriffe – in der virtuellen Realität möglich. Lehmann et al. [4] zeigen in ihrem Beitrag auf, dass das chirurgische Training in der virtuellen Realität bereits heute sinnvoll eingesetzt werden kann. Aus technischer Sicht sind sicherlich noch Verbesserungen – z. B. beim Grad der Immersion – erforderlich, doch scheinen diese in evolutionären Entwicklungsschritten ohne weiteres erreichbar. Wichtiger ist, dass sich von heute an Chirurgen aktiver in die Gestaltung der Inhalte einbringen, damit in absehbarer Zukunft die heute in der Chirurgie immer noch übliche Vordermannausbildung am Patienten abgelöst werden kann durch ein sorgfältiges, gezieltes Vortraining in einem virtuellen Situs.
Mechatronische Hilfssysteme in der Chirurgie haben immer wieder heftige, kontroverse Diskussionen ausgelöst. Vermeintliche Vorteile von Robotern wie die hohe Präzision, die fehlende Ermüdung usw. wurden euphorisch betont, aber mittlerweile wurde klar, dass diese anscheinend plausiblen Argumente in der klinischen Praxis nicht gelten. Entsprechend zurückhaltend stellen Gutt et al. [5] nach einer umfassenden Darstellung des aktuellen Stands mechatronischer Hilfssysteme deren konkrete heutige Bedeutung dar. Wahrscheinlich sind die heute verfügbaren Systeme nur ein Zwischenschritt auf dem Weg zu einer neuen, computerassistierten Chirurgie.

Noch visionärer sind die potentiellen Optionen für die Viszeralchirurgie aus dem Bereich der Mikro- und Nanosystemtechnik. Clasbrummel et al. [6] deuten die heute fast noch unübersehbaren diagnostischen und therapeutischen Möglichkeiten extrem miniaturisierter Sensoren und Effektoren an und konkretisieren dies am Beispiel eines Blasendrucksensors. Es bedarf nicht allzu viel Phantasie, um ausgehend von diesem Beispiel auch interessante Anwendungsszenarien für die Viszeralchirurgie zu entwerfen, so etwa den Einsatz implantierbarer Sphinkteren, die hochgradig verstümmelnde Eingriffe wie die Rektumexstirpation ablösen können, über die Verwendung von Modulatoren der gastrointestinalen Motilität bei Gastroparese, Kurzdarmsyndrom oder morbider Adipositas bis hin zur minimal invasiven Implantation von artifiziellen parenchymatösen Organen.
So oder so werden Mechatronik und Telematik zusammen mit neuen Biomaterialien, der molekularen Diagnostik und der Molekularbiologie das zukünftige Bild der Viszeralchirurgie dramatisch verändern. Die konventionelle Chirurgie hat bereits jetzt überall dort an Bedeutung verloren, wo weniger invasive therapeutische Optionen zur Verfügung stehen – sei es in Form erfolgreicher konservativ-medikamentöser Verfahren wie bei der Ulkuskrankheit oder in Form neuer interventioneller Verfahren wie bei der TIPPS-Implantation zur Behandlung der portalen Hypertension.
Dagegen konnte die Chirurgie überall dort wieder «Boden gewinnen», wo es durch Einführung neuer – insbesondere minimal invasiver – Verfahren gelang, das therapeutische Ziel schonender als bisher zu erreichen, Beispiele hierfür sind die chirurgische Behandlung des Gallensteinleidens und der Refluxkrankheit. Die Herausforderung besteht darin, weitere innovative Interventionsverfahren zu entwickeln, die die chirurgischen Therapiemöglichkeiten verbessern oder es möglich machen, Krankheitsentitäten chirurgisch zu behandeln, für die bisher noch keine operative Behandlung in Betracht kam. Dieses Ziel zu erreichen wird überhaupt nur dann möglich sein, wenn auch in der Viszeralchirurgie konsequent moderne Technologie genutzt wird. Deshalb sollte auch der praktisch tätige Viszeralchirurg das Potential neuer Technologien zumindest im Ansatz kennen, um die eventuelle Nutzung im eigenen Fachgebiet in Betracht ziehen zu können.

Literatur

1 Wilhelm D, Weber H, Feußner H: Telemedizin. Chir Gastroenterol 2005;21(suppl 2):1–6.
2 Lamadé W, Ulmer C, Ritter F, Pleitgen H-O, Otto G, Thon K-P: Virtuelle Operationsplanung: Aktueller Stand und Perspektiven. Chir Gastroenterol 2005;21(suppl 2):7–13.
3 Kleemann M, Hildebrand P, Mirow L, Roblick U, Bürk C, Bruch HP: Navigation in der Viszeralchirurgie. Chir Gastroenterol 2005;21(suppl 2):14–20.
4 Lehmann KS, Buhr HJ, Ritz J-P: Virtuelle chirurgische Operationssimulation. Chir Gastroenterol 2005;21(suppl 2):21–28.
5 Gutt CN, Reiter MA, Koeninger J, Choudhry A, Mehrabi A, Büchler MW: Robotik in der Viszeralchirurgie. Chir Gastroenterol 2005;21 (suppl 2): 29–37.
6 Clasbrummel B, Muhr G, Jettkant B, Dehm J, Schlierf R, Mokwa W, Möllendorf G: Mikro- und Nanosystemtechnik – medizintechnologische Aspekte am Beispiel des Blasendrucksensors. Chir Gastroenterol 2005;21(suppl 2):38–42.

Chirurgische Gastroenterologie Interdisziplinär

Übersichtsarbeit · Review Article

Chir Gastroenterol 2005;21(suppl 2):1–6
DOI: 10.1159/000089341

Telemedizin

Dirk Wilhelm[a] Heinz Weber[b] Hubertus Feußner[a]

[a] Chirurgische Klinik und Poliklinik, Klinikum rechts der Isar, Technische Universität München,
[b] Abteilung für Gefäßchirurgie, Klinikum Bamberg, Deutschland

Schlüsselwörter
Gesundheitskarte · Heilberufsausweis · Klinikinformationssystem · PACS · Telekonsultation

Zusammenfassung
Telemedizin im weiteren Sinn wirkt sich bereits heute schon ganz konkret auf Verfahrensabläufe in der Viszeralchirurgie aus. Die gerade auch in diesem Bereich der Chirurgie erforderliche Verbesserung der Verzahnung von (prä- und postoperativer) ambulanter und stationärer (operativer) Versorgung wird durch die Etablierung von Gesundheitsnetzen möglich. Die dafür erforderlichen Identifizierungsmöglichkeiten für Patienten und Ärzte werden derzeit eingeführt. Noch weiter in der klinischen Anwendung sind telemedizinische Applikationen in der stationären Versorgung. Neben Krankenhausinformationssystemen ist auch in der Viszeralchirurgie die präoperative Planung einschließlich der Telekonsultation bei interdisziplinären Therapie-«Boards» bis hin zur intraoperativen Therapieunterstützung bereits etabliert.

Key Words
Health card · Health professional card · Hospital information system · PACS · Teleconsultation

Summary
Telemedicine
Even today, the impact of telemedicine upon daily clinical routine is already evident in visceral surgery. The establishment of healthcare networks results in an improved collaboration between the outpatient (pre- and postoperative) and in-hospital (surgical) patient care. Currently, electronic health cards for patients and health professional cards are introduced into routine service as essential preconditions for a comprehensive, integrated healthcare procurement. Even more advanced is telemedicine in the treatment of in-house patients. Hospital information systems, preoperative planning on the basis of advanced imaging, interdisciplinary therapy boards and intraoperative teleconsultation have already become state of the art.

Unter den zahlreichen unterschiedlichen Aspekten des Themas «Mechatronik und Telematik in der Viszeralchirurgie» nimmt die Telemedizin insofern einen besonderen Platz ein, als sie sich derzeit bereits am konkretesten auf den viszeralchirurgischen Alltag auswirkt.

Auch in der Viszeralchirurgie gelten die zentralen Herausforderungen, mit denen das Gesundheitswesen immer stärker konfrontiert sein wird: einerseits wird eine ständige Qualitätsverbesserung verlangt, andererseits wird der Zwang zur Kostenreduktion immer stärker. Diese beiden – an sich völlig konträren – Zielsetzungen lassen sich überhaupt nur erreichen, wenn die noch vorhandenen, gewaltigen Sparpotentiale ausgeschöpft werden und die diagnostisch-therapeutischen Prozesse immer effizienter gestaltet werden könnten (Abb. 1).

Mittelfristig kann dies wahrscheinlich nur teilweise durch Verbesserung der eigentlichen Behandlungsqualität (z. B. durch die Entwicklung noch schonenderer Operationsverfahren) erreicht werden. Ein realistischer kurzfristiger Ansatz ist die Verbesserung der Prozessqualität. Die optimale Übermittlung und Verarbeitung von Informationen spielt hier die Schlüsselrolle. Dies ist Inhalt und Gegenstand der Telemedizin bzw. Gesundheitstelematik (auch als «E-Health» bezeichnet).

Durch die immer subtilere insbesondere bildgebende Diagnostik, durch individualisierte Therapiekonzepte und die fast schon überbordende Dokumentationspflicht werden immer mehr Daten generiert («Informationsflut»). Darüber hinaus werden die Anforderungen an die Datendistribution immer komplexer. Während früher ein Einweisungsbrief des Hausarztes im Wesentlichen

KARGER
Fax +49 761 452 07 14
E-mail Information@Karger.de
www.karger.com

Accessible online at:
www.karger.com/cga

Prof. Dr. Hubertus Feußner
Chirurgische Klinik und Poliklinik, Klinikum rechts der Isar
Technische Universität München
Ismaninger Straße 22, 81675 München, Deutschland
Tel. +49 89 41 40-20 30, Fax -60 30
E-mail feussner@nt1.chir.med.tu-muenchen.de

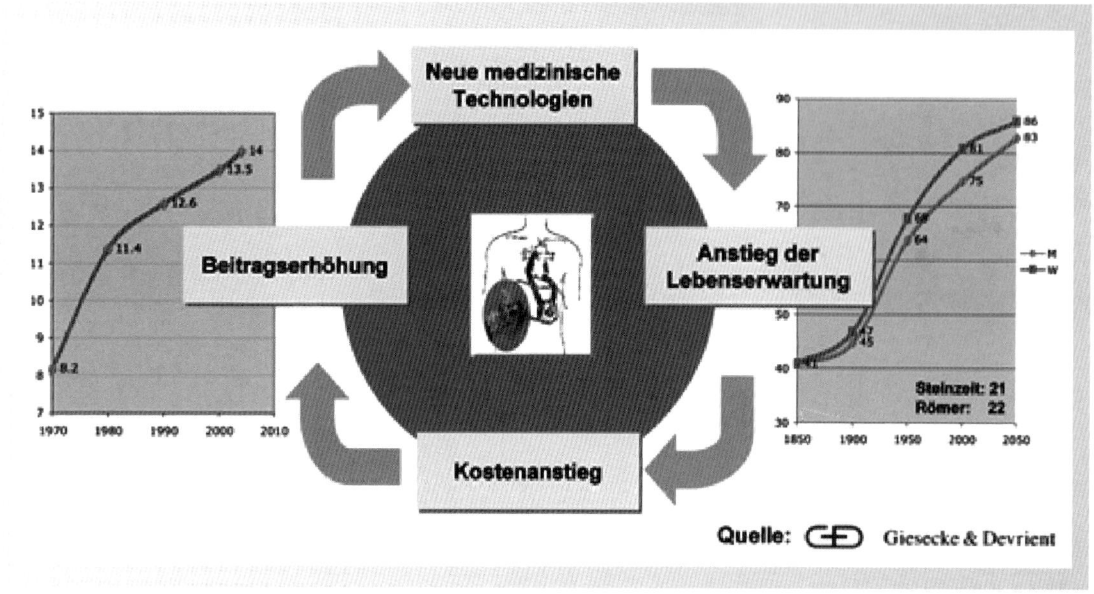

Abb. 1. Circulus vitiosus des Gesundheitswesens. Steigende Ansprüche in der medizinischen Versorgung konkurrieren mit notwendigen Kostensenkungen.

ausreichte, um nach einigen wenigen ergänzenden Untersuchungen den Eingriff durchzuführen, ist heute durch die zunehmende Spezialisierung und Multidisziplinarität die Einbindung zahlreicher weiterer am Behandlungsprozess beteiligter Ärzte erforderlich. Immer mehr Informationen müssen immer breiter verteilt werden: dadurch werden die therapeutischen Ziele (wahrscheinlich) besser erreicht, aber gleichzeitig steigen die Kosten, und der Ablauf wird potentiell störanfälliger.

Dieser Paradigmenwechsel weg von bilateralen hin zu multilateralen Kommunikationsbeziehungen setzt ausbaufähige Telekommunikationsgrundtechniken voraus – digitale Datenaufnahmesysteme, Schlüsselsysteme (elektronische Heilberufsausweise und elektronische Gesundheitskarten), Informationsträger (Gesundheitskarten und Serversysteme) und Verbindungswege (Gesundheitsnetze). Die konkrete Bedeutung dieser Grundelemente ist in Abhängigkeit davon, ob die ambulante oder die stationäre Behandlung betroffen ist, etwas unterschiedlich, so dass auf beide Bereiche zunächst gesondert eingegangen wird.

Telemedizin an der Schnittstelle von der ambulanten und stationären Versorgung

Die Grundvoraussetzung für eine zuverlässige und umfassende telemedizinische Vernetzung ist einerseits eine Ausweis- und Informationskarte, über die jeder Patient verfügen sollte, und andererseits eine Identifikations- und Authentifizierungsmöglichkeit für alle am diagnostisch-therapeutischen Prozess beteiligten Akteure. Hier wurden in letzter Zeit gerade in Deutschland erfreulicherweise erhebliche Anstrengungen unternommen, um diese beiden essentiellen Werkzeuge einzuführen.

Die elektronische Gesundheitskarte (eGK) soll die zu Beginn der 1990er Jahre eingeführten Krankenversichertenkarten, die lediglich administrative Daten enthielten, ablösen. Die neue Karte soll nicht nur für die Speicherung von Stammdaten und damit überwiegend für administrative Zwecke dienen, sondern auch medizinische Informationen enthalten. Das Ziel ist es, auf diese Weise Arbeitsprozesse zu optimieren, die Qualität der medizinischen Versorgung zu verbessern, die Eigenverantwortung der Patienten zu stärken, Kosten zu senken und Leistungen transparenter zu machen.

Insbesondere ist daran gedacht, dass die neue eGK
- medizinische Daten, soweit sie für die Notfallversorgung erforderlich sind,
- elektronische Arztbriefe,
- Arzneimitteldokumentationen,
- Daten über Befunde für eine fall- und einrichtungsübergreifende Dokumentation über den Patienten,
- selbst zur Verfügung gestellte Daten und
- Kostenquittungen

enthalten soll (Abb. 2). Diese eGK ist für jeden potentiellen Leistungsempfänger ein Angebot, das dieser freiwillig wahrnehmen kann, während sie für jeden Leistungserbringer einen obligaten Dienst bedeutet, den dieser grundsätzlich anbieten und erbringen muss.

Derzeit wird weiter intensiv an der Lösungsarchitektur und den unterschiedlichen Telematikkomponenten gearbeitet. Offensichtlich wird es deshalb einen stichtagbezogenen Einsatz der eGK doch nicht geben. Zu erwarten ist hier eine sanfte Migration. Die Einführung wird wahrscheinlich eine «Telematikdauerbaustelle» sein [1].

Elektronische Heilberufsausweise

Im § 291 a wird der Personenkreis definiert, der auf die Daten der eGK zugreifen darf, vorausgesetzt dass er über einen elektronischen Heilberufsausweis (eHBA) verfügt. Der eHBA ist also das notwendige Gegenstück zur eGK. Die eHBAs haben grundsätzlich

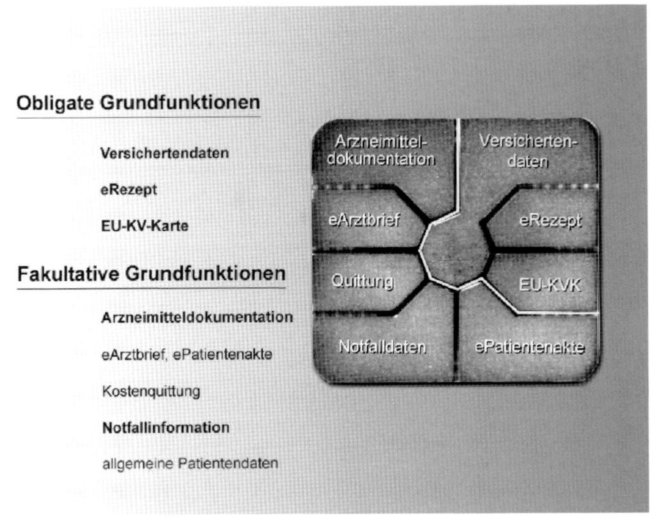

Abb. 2. Grundfunktionen der eGK.

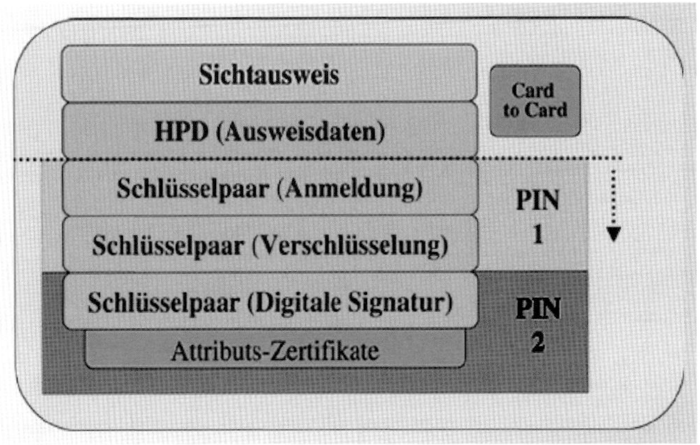

Abb. 3. Funktionsweise der elektronischen Gesundheitskarte, Modi der Authentifizierung und Verschlüsselung.

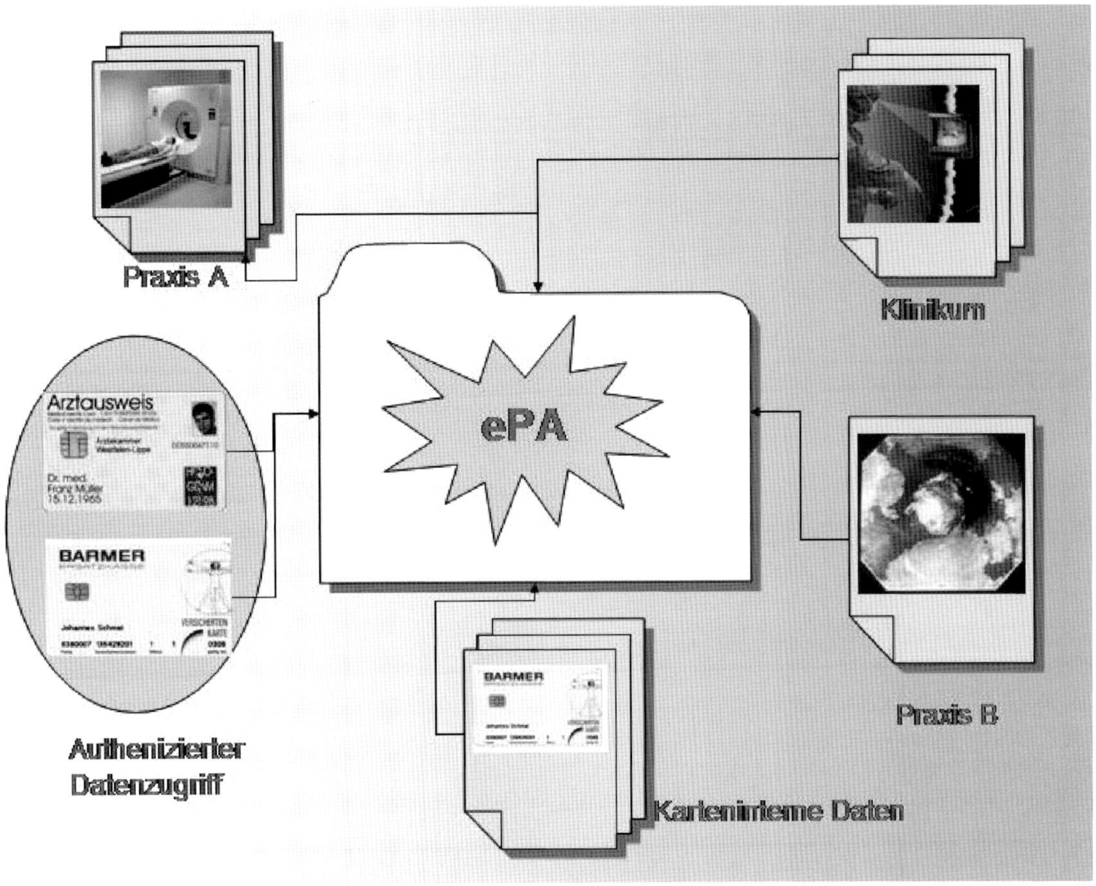

Abb. 4. Prinzipieller Aufbau der Telematikinfrastruktur – die elektronische Patientenakte als virtueller Ordner verteilter Datenarchive (Praxis, Klinik, Karte, ...).

die Größe einer Scheckkarte und bieten in ihrem Mikrochip drei Schlüsselpaare, mit denen nach aktuellen Planungen

- Daten elektronisch verschlüsselt,
- eine elektronische Authentifizierung durchgeführt und
- qualifizierte elektronische Signaturen gemäß Signaturgesetz/Signaturverordnung erstellt werden können.

Die Nutzung der Schlüsselpaare ist durch eine PIN abgesichert, wobei die Nutzung der qualifizierten elektronischen Signatur mit einer eigenen nur für dieses Schlüsselpaar gültigen PIN separat abgesichert ist (Abb. 3). Die Ausweise sind Akteuren im Gesundheitswesen persönlich oder bestimmten Funktionsstellen (dem Verantwortungsbereich einer solchen natürlichen Person) zugeordnet.

Authentifizierung zwischen elektronischer Gesundheitskarte und Heilberufsausweis

Der Regelzugriff auf die freiwilligen medizinischen Daten der eGK darf nur in Verbindung mit einem eHBA erfolgen. Dies erfordert in jedem Fall eine geeignete Feststellung dieser Verbindung, d. h. eine gemeinsame Authentisierung, die im Zusammenwirken von eGK und eHBA jeden Zugriff auf Gesundheitsdaten auf der Karte oder auf die Daten im Gesundheitsnetz regeln muss. Neben der im Gesetz für den Karteninhaber bedeutsamen Vorgabe der Verwendung der eGK nur in Verbindung mit einem eHBA gibt es das berechtigte Interesse des Leistungserbringers, dass die eGK ihrerseits auf Echtheit überprüft sein muss und damit die Herstellung von Falsifikaten wirksam unterbunden wird. Dabei ist die Beweiskraft, die einem solchen Zugriffsmechanismus zukommt, von entscheidender Bedeutung. Es muss also erreicht werden, dass

- der Leistungserbringer sicher sein kann, dass die elektronische Gesundheitskarte echt ist,
- die elektronische Gesundheitskarte verifiziert ist und
- ein Zugriff zugelassen wird, wenn die zugreifende Instanz Heilberufsangehöriger ist.

Die Erarbeitung von optimalen Lösungsansätzen ist derzeit im Gang.

Die verteilte elektronische Patientenakte

Das Zusammenwirken der beiden Komponenten, eHBA und eGK, ist Voraussetzung für die Etablierung verteilter elektronischer Patientenakten. Dieser Thesaurus aus allen direkt (auf der Karte) und indirekt (in vernetzten Strukturen) verfügbaren Gesundheitsdaten eines Betroffenen ist das Kernelement der künftigen Telematikinfrastruktur in Deutschland (Abb. 4).

Derzeit laufen die ersten klinischen Einsätze – vorwiegend noch disziplinen- bzw. krankheitsbildfokussiert – an [2]. Wir evaluieren derzeit speziell unter viszeralchirurgischen Aspekten die verteilte Patientenakte «HealthBase». Erste Erfahrungen haben gezeigt, dass auch in der Viszeralchirurgie die Interaktion zwischen zuweisenden Ärzten bzw. Rehabilitationseinrichtungen erheblich verbessert werden kann, wobei in der klinischen Routine allerdings noch ein erhebliches Optimierungspotential erkennbar ist [3].

Alle oben aufgeführten Modelle müssen sich bis jetzt noch mit präoperativen Authentifizierungssystemen behelfen. Die Einführungen von eGK und eHBA werden hier mit Sicherheit einen Durchbruch ermöglichen.

Telemedizin in der stationären Versorgung

Klinikinformationssysteme

Die Informationsdistribution in der Klinik ist derzeit in einem Prozess der Perfektionierung. Krankenhausinformationssysteme (KIS) sind aus der Phase der Pilotversuche hinaus und werden zunehmend klinisch eingesetzt. Sie beinhalten heute alle im Rahmen des stationären Aufenthalts generierten Daten wie Befundtexte, Arztbriefe oder Labordaten. Integriert werden können aber auch Bildinformationen durch Anbindung an das PACS (Picture Archiving and Communication System), deren Austausch unter Anwendung des anerkannten DICOM-Formats problemlos möglich ist. Das PACS umfasst in den neueren Versionen auch die Erfassung bewegter Bildsequenzen, was für die Zukunft die zentrale Archivierung von Endoskopiebildern, OP-Dokumentationen usw. zulassen wird. Nachdem das KIS zunächst meist in Form von Abteilungssystemen etabliert wurde, findet heute eine Fusion der jeweiligen Bereiche statt, wodurch eine Krankenhaus übergreifende Plattform etabliert wird. Insgesamt wird hierdurch die fachübergreifende Kommunikation und Diskussion erleichtert, was im Sinne einer interdisziplinären Vorgehensweise wünschenswert ist. Das KIS übersetzt somit die Anforderungen der elektronischen Patientenakte auf die Größe des Krankenhauses und bietet ein mögliches Keimzentrum für die integrierte Versorgung.

Telekonsultation

Die aktuelle Entwicklung in der Viszeralchirurgie ist gekennzeichnet durch eine zunehmende Differenzierung der zur Verfügung stehenden Behandlungsoptionen. Zur Frage steht heute nicht nur, ob ein operatives oder ein konservatives Vorgehen gewählt werden sollte, sondern es wird auch weiter differenziert in multimodale Therapiekonzepte, die entweder neoadjuvant, während oder nach einem chirurgischen Eingriff indiziert sind [4].

Darüber hinaus wird auch die chirurgische Verfahrenswahl immer differenzierter, nicht zuletzt begünstigt dadurch, dass heute zunehmend mehr minimal invasive Behandlungsalternativen zur Verfügung stehen.

Zwangsläufig führt dies zu einem steigenden Bedarf an gegenseitiger Konsultation in der Abstimmung der diagnostischen und therapeutischen Strategien – und damit zu einem fast exponentiellen Zuwachs des Informationsaustauschs. Die konsequente Nutzung telemedizinischer Möglichkeiten wird deshalb immer wichtiger. In multimedialen Therapie-«Boards» (z. B. Tumorkonferenzen usw.) können die verschiedenen Leistungserbringer in einer Klinik sogar unter Einbeziehung des niedergelassenen Bereichs aneinandergekoppelt werden, ohne dass Zeitverluste aufgrund der räumlichen Distanz entstehen. So entstehen Konsens-Therapieentscheidungen, welche unter Bezug auf die fachübergreifende Diagnostik zentral hinterlegt werden können und allen Beteiligten für den weiteren Behandlungsprozess zur Verfügung stehen. Dies dient nicht zuletzt der Absicherung gegenüber den stetig zunehmenden rechtlichen Anforderungen [5, 6].

Auch für den Bereich Viszeralchirurgie konnte bereits nachgewiesen werden, dass die interaktive videogestützte Therapiekonferenz in der klinischen Routine praktikabel und effektiv ist und die Behandlungsqualität durch sie gesteigert werden kann [7, 8].

Intraoperative Therapieunterstützung

Während des eigentlichen chirurgischen Eingriffs kann der Operateur, abgesehen von den Erinnerungen an die präoperative Therapieplanung, nur noch einige wenige Röntgenbilder oder CT-

Schnitte auf dem Leuchtschirm des OP-Saals einsehen. Diese Konstellation, in der die Masse aller visuellen Informationen nicht mehr verfügbar ist, wird in Zukunft nicht mehr akzeptabel sein. Der Operateur sollte heute in der Lage sein, alle relevanten Vorinformationen selbstständig und ohne fremde Hilfe ad hoc, d. h. während des Eingriffs, direkt aus dem Klinikinformationssystem abzurufen und für seine Entscheidungsfindung zu nutzen.

Diese Anforderung ist heute über moderne KIS/PACS-Systeme ohne weiteres zu realisieren, wobei in so genannten integrierten OP-Systemen entsprechende Schnittstellen in Form von Sprachsteuerung oder einer sterilen Maus auf dem OP-Tisch oder auch von Touchscreens möglich ist (Abb. 5) [9]. In gleicher Weise können intraoperative Befunde durch den Operateur ad hoc dokumentiert und in das KIS eingegeben werden.

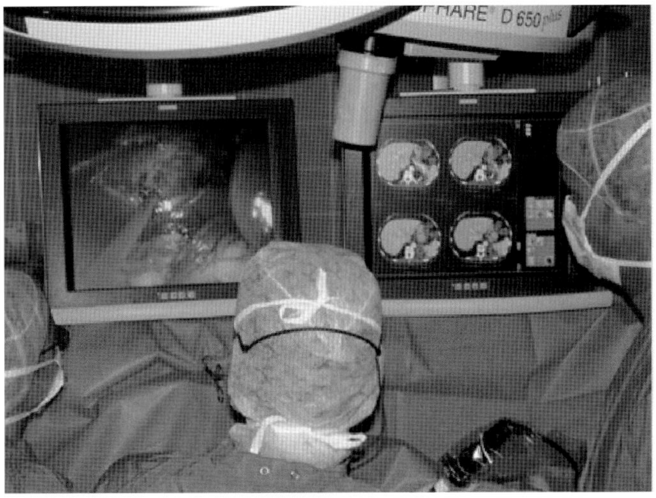

Abb. 5. Die Einbindung der OP-Umgebung in KIS und PACS ermöglicht den intraoperativen Zugriff auf präoperativ generierte Befunddaten.

Intraoperative Konsultation

Gerade bei viszeralchirurgischen Eingriffen gibt es intraoperativ immer wieder Entscheidungssituationen, in denen der Operateur die Bewertung des weiteren konkreten Vorgehens im Kontext der Gesamtstrategie unter Einbeziehung aller sonstigen am gesamttherapeutischen Prozess beteiligten Disziplinen vornehmen möchte.

Der heute erreichte technologische Stand erlaubt die Einbeziehung praktisch jedes beliebigen externen Partners. Kameraeinheiten, die in die Operationslampe integriert sind, ermöglichen einen perfekten Einblick in den Situs. Der Dialog mit dem externen Gesprächspartner ist durch die Videokommunikationseinrichtung moderner OP-Systeme ohne zusätzlichen Aufwand gewährleistet (Abb. 6). Die unmittelbare Rücksprache mit dem Pathologen kann hilfreich bei der Festlegung der definitiven Resektionsgrenze sein. Mit dem Onkologen können gegebenenfalls Fragen der additiven Behandlung besprochen werden. Dies kann erheblich zur Qualitätsverbesserung gerade auch in der onkologischen Chirurgie beitragen [10].

Darüber hinaus kann die interaktive Telekonsultation aber auch für die Festlegung des chirurgisch-technischen Vorgehens genutzt werden, so dass der Operateur den Rat eines besonders ausgewiesenen Fachkollegen bzw. des Chefarztes einholen kann. Wie klinische Untersuchungen gezeigt haben, ist das konkrete Bedürfnis in der klinischen Praxis durchaus vorhanden [11].

Dabei ist es möglich, dass sich der Telekonsiliar nicht nur auf das einfache Zuschauen beschränken muss, sondern sich durch entsprechende Fernsteuerungsmöglichkeiten der OP-Kamera selbst aktiv im Situs «umschauen» kann [12]. Mit Hilfe eines Telestrators (z. B. in Form eines lenkbaren Laser-Pointers in der offenen Chirurgie oder eines Cursors bei videoassistierten Eingriffen) kann er im OP-Feld zudem zeigen, wovon er spricht und was er konkret meint (Abb. 7). Dabei sind die Mitwirkungsmöglichkeiten bei den

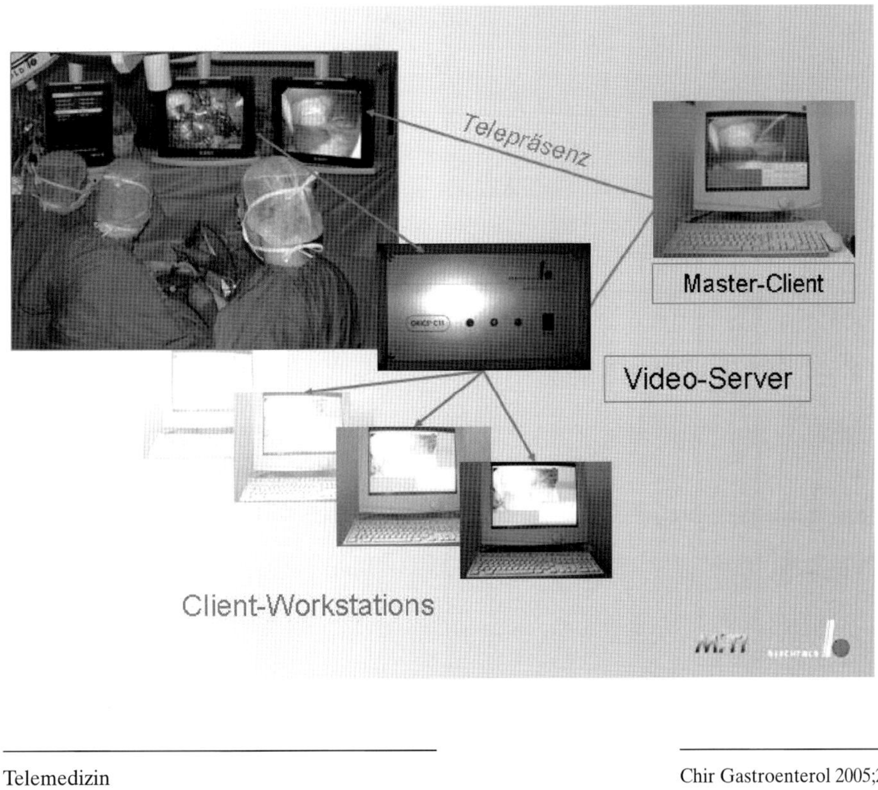

Abb. 6. Intraoperatives Telekonsil auf der Basis einer IT-Netzwerk-Lösung.

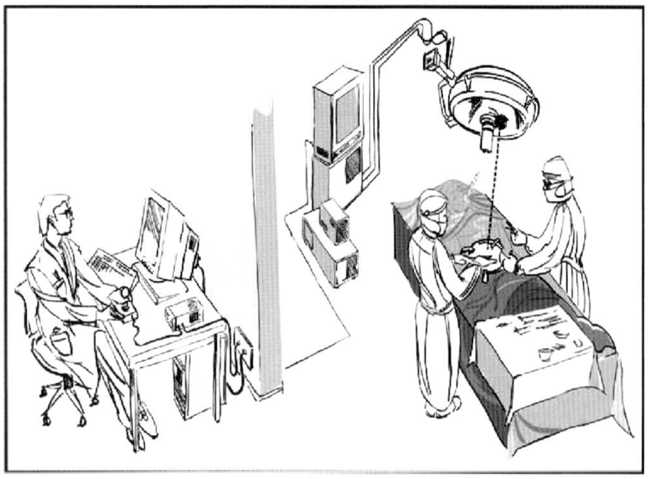

Abb. 7. Mittels einer Telestratoreinheit (z. B. Laser) gelingt es dem externen Konsiliar, Befunde aus der Ferne zu markieren und somit die Interaktivität zu steigern.

meist anspruchsvollen viszeralchirurgischen Eingriffen wesentlich besser und fast mit einer direkten Präsenz am Tisch vergleichbar. Somit können berechtigterweise erhebliche Fortschritte im Bereich der ständigen Qualitätssicherung und -steigerung erwartet werden.

Nicht zuletzt erleichtert die Digitalisierung des «chirurgischen Arbeitsumfelds» auch ganz entscheidend die präzise Dokumentation des intraoperativen Befunds der therapeutischen Vorgehensweise. Das integrierte OP-Saal-Management ermöglicht zu jedem Zeitpunkt die Aufnahme von statischen und dynamischen Bildmaterialien [13]. Per Spracheingabe oder mittels der Handmaus kann der Chirurg von der knappen Befundschilderung bis hin zum vollständigen Operationsbericht alle relevanten Angaben direkt in die elektronische Patientenakte eingeben.

Literatur

1 Krüger-Brand HE: Anforderungen an die digitale Krankenakte. Deutsches Ärztebl 2003;46: B2483–B2484.
2 Mohr MTJ, Hofstädter F, Klinkhammer-Schalke M: Telemedizin bei der Behandlung des Mammakarzinoms – OnkoLutions. Onkologe 2005; DOI 10.1007/s00761-005-0969-3.
3 Wilhelm D: Erste Erfahrungen mit der verteilten elektronischen Patientenakte «HealthBase». Telemedizinführer Deutschland, 2006, (in press).
4 Siewert JR, Stein HJ, von Rahden BH: Multimodal treatment of gastrointestinal tract tumors: consequences for surgery. World J Surg 2005;29: 940–948.
5 Bumm R, Siess M, Lange M, Siewert JR: Notwendige Voraussetzungen für die Funktion eines onkologischen Kompetenzzentrums. Informationstechnologie, Befunddokumentation und Telekommunikation. Dtsch Med Wochenschr 2002; 127:907–912.
6 Siess M, Bumm R, Siewert JR: Klinikkommunikation und krankheitsorientierte Zentren. Chirurg 2002;73:417–421.
7 Axford AT, Askill C, Jones AJ: Virtual multidisciplinary teams for cancer care. J Telemed Telecare 2002;8(suppl 2):3–4.
8 Schlag PM, Ulmer C, Graschew G: Tumorkonferenz mittels multimedialer Videotelekommunikation. Onkologe 2003;9:13–22
9 Feussner H: The operating room of the future: a view from Europe. SLS 2003;10:149–156.
10 Öngürü Ö, Celasun B: Intra-hospital use of a telepathology system. Path Oncol Res 2000;6: 197–201.
11 Balanou P, Rau B, Engel-Marke F, Graschew G, Schlag PM: Telecommunication in routine surgical practice. Langenbecks Arch Chir Suppl Kongressbd 1998;115:900–903.
12 Schneider A, Wilhelm D, Bohn U, Wichert A, Feußner H: A surgical telepresence system for intrahospital IT networks. J Telemed Telecare 2005:(in press).
13 Wilhelm D, Feußner H, Harms J, Schneider A, Wessels G: Integrierte Systemkontrolle für die laparoskopische Chirurgie – eine vergleichende Evaluation. Min Invas Chir 2001;10:110–114.

Chirurgische Gastroenterologie Interdisziplinär

Übersichtsarbeit · Review Article

Chir Gastroenterol 2005;21(suppl 2):7–13
DOI: 10.1159/000089342

Virtuelle Operationsplanung: Aktueller Stand und Perspektiven

Wolfram Lamadé[a] Christoph Ulmer[a] Felix Ritter[b] Heinz-Otto Peitgen[b] Gerd Otto[c]
Klaus-Peter Thon[a]

[a] Zentrum für operative Medizin, Robert-Bosch-Krankenhaus, Stuttgart,
[b] MeVis – Center for Medical Diagnostic Systems and Visualization GmbH, Bremen,
[c] Transplantationschirurgie, Universität Mainz, Deutschland

Schlüsselwörter
Leber · Virtuelle Operationsplanung · Navigation

Zusammenfassung
Bereits heute sind schon Software-Programme für die 3D-Analyse und die Therapieplanung parenchymatöser Organe, insbesondere der Leber, für den klinischen Einsatz verfügbar und werden bereits im OP eingesetzt. Die Aufarbeitung der CT-Datensätze mit Segmentierung der Organstrukturen ist allerdings sehr zeit- und personalaufwändig. Die computergenerierten Resektionsvorschläge werden bereits erfolgreich in den OP-Situs übertragen. Dieser Übertragungsschritt soll in Zukunft durch eine Echtzeit-OP-Navigation erfolgen. Die Mehrzahl der Navigationsprojekte stützen sich auf intraoperativen 2D- und 3D-Ultraschall sowie auf optische Registrierungsverfahren. Elektromagnetische Registrierungssensoren werden nur vereinzelt erprobt, da sie sehr störanfällig auf Metallgegenstände reagieren. Wenn ein Registrierungsprozess abgeschlossen ist, gelten die Daten nur so lange, wie das Organ nicht bewegt wird. Im Falle von nichtrigiden Organen wie der Leber muss daher ein Daten-Update in Echtzeit und in kurzen Zeitabständen erfolgen. Ein solches System, das eine Navigation über einen längeren Zeitraum sicherstellt, ist zur Zeit nicht verfügbar. Die Validierung der Planungsdaten existiert bisher nur in Ansätzen. Die Ergonomie, d. h. die Verfügbarkeit der Daten in intuitiv erfassbarer und manipulierbarer Weise, muss noch erheblich verbessert werden. Die Zukunft gehört möglicherweise einem intelligenten Skalpell, das seine Dissektionsaktivität herabsetzt, wenn der geplante Resektionspfad verlassen wird. Die Endverantwortung der Operation wird jedoch auch in Zukunft beim Chirurgen verbleiben.

Key Words
Liver · Virtual operation planning · Navigation

Summary
Virtual Surgical Planning: State of the Art and Perspectives
Computer-based 3D virtual operation planning systems are about to be introduced into clinical routine in liver surgery. Processing of the CT data with segmentation of the organ structures is the basis for virtual operation planning. 3D visualizations and computer-generated resection proposals have successfully been transferred in the operating room. In the future, the step from virtuality to reality will be done with real-time navigation. Most of the navigation projects are based on intraoperative 2D- or 3D-ultrasound and optical registration. Electromagnetic registration sensors are rarely used, due to their interference with metal instruments. Once registration is done, the data are valid just as long as the organ is not moved. That means, in case of non-rigid organs like the liver, an update is required in short intervals. Such a navigation system is currently not available. Furthermore, a validation of the processed data is missing. The ergonomics must be increased for intuitive data acquisition and manipulation. The future might be an 'intelligent scalpel' that reduces activity outside the planned resection plane. But final responsibility must stay with the surgeon.

KARGER

Fax +49 761 452 07 14
E-mail Information@Karger.de
www.karger.com

Accessible online at:
www.karger.com/cga

PD Dr. Wolfram Lamadé
Zentrum für operative Medizin
Robert-Bosch-Krankenhaus
Auerbachstraße 110, 70376 Stuttgart, Deutschland
Tel. +49 7 11 81 01-33 65, Fax -37 82
E-mail wolfram.lamade@rbk.de

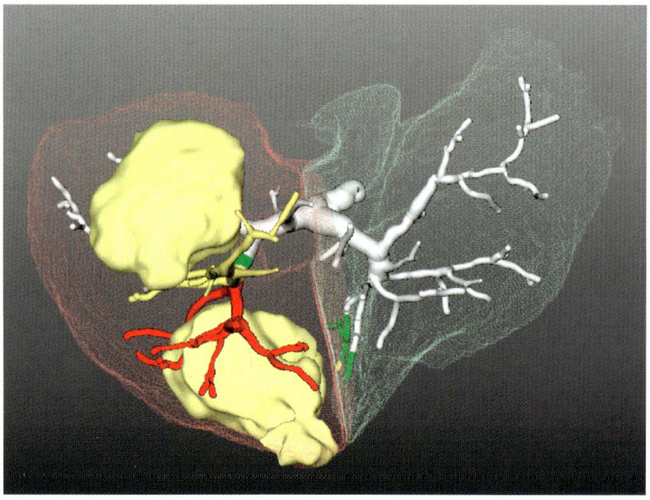

Abb. 1. 3D-Rekonstruktion einer Leber mit zwei Lebertumoren (gelb) im rechten Leberlappen. Der computergenerierte Resektionsvorschlag entspricht einer Hemihepatektomie rechts.

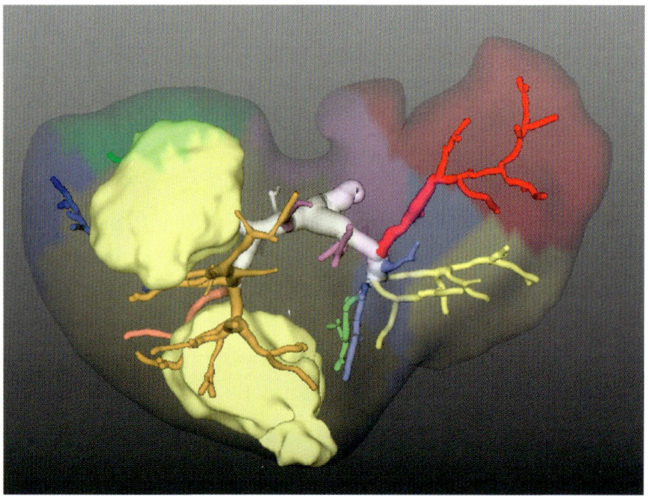

Abb. 2. Der gleiche Patient wie in Abbildung 1. Die Pfortaderäste sind entsprechend der Lebersegmente, die sie versorgen, eingefärbt.

Einleitung

Die menschliche Wahrnehmung und Vorstellungskraft ist immer wieder überraschend begrenzt. So gelingt es typischerweise nicht, ein vollkommen unbekanntes Objekt aus präsentierten Schnittbildern im Geiste dreidimensional zu rekonstruieren. Diese natürlichen Limitationen der Augen, der Hände und der räumlichen Vorstellungskraft können durch Einsatz technischer Hilfsmittel überwunden werden. Eine spektakuläre Demonstration dieser technischen Entwicklungen gipfelte in einer transatlantischen Gallenblasenoperation, die Marescaux et al. [1, 2] im Ergebnis einer Konvergenz verschiedener Entwicklungen im Jahre 2001 durchgeführt haben.

1864 präsentierte Johann Philipp Reis erfolglos deutschen Wissenschaftlern die Erfindung des Telefons. Ungefähr 100 Jahre später führte die erste telemedizinische Applikation im Rahmen des Apollo-Programms diese Technik an die bisher extremste Belastungsprobe über eine Entfernung von 400 000 km. Konrad Zuse aus Berlin-Kreuzberg gebührt die Ehre, 1941 den ersten frei programmierbaren Computer, die «Z3», fertig gestellt zu haben. Die von ihm entwickelte Programmiersprache nannte sich «Plan Kalkül» [3]. Der Begriff «Virtualität» wurde von Charon Lanier 1989 erstmals eingeführt, obwohl die Entwicklungen zurückreichen in die frühen 1960er Jahre, als die ersten Grafik-Computer gebaut wurden [4].

Seit dieser Zeit infiltrieren Computer alle Bereiche der modernen Medizin, angefangen von der Administration, dem Controlling, dem Monitoring von physiologischen Patientendaten, der Ausbildung, der Simulation, der OP-Planung und der Robotik. Interdisziplinäre Entwicklungen zwischen Radiologie, Telefonie, Computern und der Chirurgie haben zu Anwendungen in der Routine geführt: 3D-Präsentationen sind in bestimmten Zentren bereits Standard. Operationssimulationen und Operationsplanungsmodule sind für den Einzelfall verfügbar (Abb. 1, 2). Der Schritt zur komplett navigierten Weichgewebechirurgie ist jedoch noch immer Gegenstand der Forschung. Erste im OP einsetzbare Entwicklungen sind erkennbar.

Von der Realität zur Virtualität

Unter sensorischer Immersion versteht man das komplette sensorische Eintauchen in eine virtuelle Welt, ohne dass ein Unterschied zur Realität wahrgenommen werden kann. Dieses Ziel ist noch nicht erreicht. Visuelle Informationen machen ungefähr 70% unseres sensorischen Inputs aus und sind offensichtlich für den Chirurgen die wichtigste Informationsquelle. Die epikritischen, olfaktorischen und akustischen Reize sind von absteigender Wichtigkeit [5]. Der Geschmackssinn hat in der Medizin nur noch historische Relevanz.

Die ersten virtuellen Rekonstruktionen der viszeralen Anatomie erfolgten durch Marescaux et al. [6] aus dem Datensatz des Visible Human Project der National Library of Medicine und führten zu einer Rekonstruktion der hepatobiliären Anatomie eines einzelnen Menschen. Spiral-CT-Daten und MRT-Daten haben mittlerweile eine Qualität erreicht, dass sie als Grundlage für 3D-Rekonstruktionen benutzt werden können [7–11].

Segmentierung

Der Segmentierungsprozess, d. h. die Extraktion der einzelnen Organstrukturen aus den 2D-Bilddaten, erfolgt manuell, semiautomatisch oder vereinzelt auch vollautomatisch [12–15]. Dieser Segmentierungsprozess ist kritisch, weil es sich hierbei um Interpretation von Bilddaten handelt und die Ergebnisse zu Therapieentscheidungen führen. Der Segmentierungsprozess muss daher von einem ausgebildeten Radiologen validiert werden. Unsicherheiten während des Segmentierungsprozesses müssen in den Bilddaten erkennbar sein [11]. Dies trifft ganz besonders für vollautomatische Segmentierungssysteme zu, bei denen keine manuellen Korrekturmöglichkeiten bestehen.

Visualisierung

Grundsätzlich gibt es zwei Visualisierungsverfahren: Das «volume rendering», in dem jedes Voxel (Volumenelement – repräsentiert den Wert einer Intensitätsfunktion und ist das kleinste Element eines Volumendatensatzes) unmittelbar in die 3D-Darstellung einfließt, erfordert eine hohe Rechenleistung. Das Oberflächen-«Rendering», bei dem lediglich die Oberflächen der segmentierten Organe als Polygonnetz dargestellt werden, wird mittlerweile fast durchgehend für viszerale Darstellungen benutzt, da es das Datenvolumen drastisch reduziert und an die jeweilige Fragestellung angepasste, optisch leichter verständliche Abbildungen ermöglicht. Das Oberflächen-«Rendering» wird auch typischerweise für interaktive Applikationen eingesetzt. Die Präsentation für den Chirurgen erfolgt meist über Standard-Computerbildschirme. «Headmounted»-Displays oder auch «Shutter»-Brillen haben sich in der Routineanwendung bisher nicht durchgesetzt, da Bildqualität und Komfort schlechter sind als bei herkömmlichen Bildschirmen [16, 17]. Auch das virtuelle Retina-Display des Human Interface Technology Labarotory (HIT) in Seattle, bei dem ein Laser-Strahl das Bild direkt auf die Retina projiziert, hat noch keinen Eingang in Anwendungen der Chirurgie gefunden [18]. 3D-Visualisierungen haben dagegen verglichen mit 2D-Visualisierungen eine signifikante Verbesserung der Präzision um 21% ermöglicht. Diese Untersuchungen wurden an nichtstereoskopischen 2D-Bildschirmen durchgeführt [19].

Der Einsatz von Bildschirmen anstelle der direkten Sicht verschlechtert nachweislich die manuellen Fertigkeiten. Knotenstärke und -geschwindigkeit wurden unter standardisierten Bedingungen evaluiert, wobei die direkte Sicht mit der über 2D- und 3D-Bildschirme verglichen wurde. Die mediane Arbeitseffizienz, definiert als die Zeit, einen Knoten fertig zu stellen, war mit 35 s für die direkte Sicht deutlich kürzer als bei der Verwendung von 2D- bzw. 3D-Bildgebung, wo 53 bzw. 53,5 s benötigt wurden ($p < 0,05$). Im Vergleich mit der direkten Sicht geht also mit der Bildgebung eine Verminderung der Effizienz um 52% einher. Interessanterweise war keine Unterschied zwischen der 2D- und der 3D-Darstellung nachweisbar. Die Knoten waren bei der elektronischen Darstellung lockerer geknotet, aber der Unterschied war nicht signifikant als Folge der großen interindividuellen Unterschiede [20]. Trotz der guten Auflösung der Bildschirme sind hier wichtige ergonomische Punkte noch nicht erfasst und bedürfen weiterer Klärung.

Stereoskopische Bildschirme erzeugen einen real wirkenden Raumeffekt. Aber auch hier sind Verbesserungen nötig, da die meisten Systeme die Fokussierungsebene des Auges auf der Bildschirmebene erzwingen, obwohl das Objekt vor und hinter dieser Ebene wahrgenommen wird. Die dadurch nötige mentale Entkoppelung von Fokussierung und Wahrnehmungsort irritiert und ermüdet [21–23].

Operationsplanung

Seit 1954 stellt die Couinaud'sche Lebersegmenteinteilung die Basis für die Leberchirurgie dar. Couinaud definierte avaskuläre Ebenen, die die Leber in autonome Funktionseinheiten unterteilen soll. Andere Klassifikationssysteme wie die nach Goldsmith und Woodburn haben lediglich vertikale Lebersektoren unterschieden, die Arbeitsgruppe um Shimada identifizierte hingegen Lebersubsegmente [24]. Diese Lebermodelle wurden insbesondere mit Beginn der Leber-Lebend-Spende zunehmend relativiert, da die individuelle Anatomie stark variabel ist [25, 26]. Die beschriebenen inter- und intraindividuellen Unterschiede in der Lebersegmentanatomie erfordern eine individualisierte präoperative Analyse der Gefäßarchitektur. Mittels 3D-Rekonstruktionen können die Segmentgrenzen exakt lokalisiert und die absoluten und relativen Lebervolumina bestimmt werden. Grundsätzlich gilt die Couinaud'sche Segmenteinteilung als gute Näherung für die Lebersegmente. Die exakte Lage der Segmentgrenzen muss aber im Einzelfall bestimmt werden [27].

Quantitative Bedeutung von 3D-Präsentationen

Basierend auf einem 3D-OP-Planungssystem wurde die Qualität von präoperativen OP-Planungen in Abhängigkeit von unterschiedlichen Darstellungsverfahren verglichen. 81 Chirurgen mit unterschiedlichem Ausbildungsstand wurden 2D-CT-Bilder und unterschiedliche Arten von 3D-Lebervisualisierungen präsentiert. Die Resektionsvorschläge mussten in ein Lebermodell eingezeichnet werden. Eine hoch signifikante Verbesserung der Tumorlokalisation um 52% sowie eine deutlich exaktere OP-Planung um bis zu 42% zeigten sich mit dem zunehmendem Informationsgehalt der präsentierten und prozessierten Bilddaten ($p < 0,05$) [28].

Validität der virtuellen Operationsplanung

In einer retrospektiven und später konsekutiv prospektiven klinischen Studie wurde das postoperative Risiko einer Leberinsuffizienz anhand von 570 Patienten analysiert. Die univariate Analyse zeigte bei 13 von 31 Parametern signifikante Werte. Bei einer Multivariantenanalyse waren schließlich nur die «partial hepatic resection rate» (PHRR), die GGT und die Prothrombin-Aktivität als unabhängige Parameter für die Voraussage eines Leberversagens zu bestätigen. Höchste Signifikanz zeigte jedoch die PHRR [29]. Damit ist die PHRR als positiver Faktor für das postoperative Leberversagen etabliert. In einer weiteren Studie an 27 Patienten wurden 3D-Modelle mit dem realen Leberresektionsgewicht verglichen. Hier zeigte sich eine gute Übereinstimmung der Werte. Dies bedeutet, dass die 3D-Rekonstruktionen quantitativ in den OP-
Situs umgesetzt werden können [30].

Leber-Lebend-Spende

Die höchsten Anforderungen an Präzision und Qualität der Leberchirurgie stellt die Leber-Lebend-Spende, da hier gesunde Personen einer Operation unterzogen werden. Exakte volumetrische Voraussagen des entnommenen Transplantats und der Residualleber sind wichtig für die Selektion des Spenders. Es konnte gezeigt werden, dass durch Anwendung der 3D-Rekonstruktionen die interindividuellen Unterschiede zwischen zwei Untersuchern in Bezug auf Messung der Volumina äußerst gering sind. Darüber hinaus war die Voraussage des Lebertransplantatgewichts sehr gut [10]. Die Voraussagen der virtuellen Hemihepatektomie rechts sind reproduzierbar und geeignet für den Einsatz am Patienten.

Funktionelle Modellierung

Erkrankungen, die die Leber in einer nicht homogenen oder segmentalen Weise betreffen, würden von einer räumlich aufgelösten Funktionsanalyse profitieren. Eine 3D-Leberfunktionsmodellierung wurde durch die Anwendung der dynamischen Technicium-99-HIDA-Single-Photon-Evisions-Tomographie (SPET) verwirklicht. Der Gallefluss von individuellen Lebersegmenten kann die funktionelle Wertigkeit der einzelnen Segmente quantifizieren. Perkutane Biopsien können zielgerichtet zu den am meisten betroffenen Leberbereichen geleitet werden. Sequentielle Studien helfen bei der Quantifizierung von Krankheitsprogressionen sowie bei der Selektion und Terminierung von therapeutischen Prozeduren. Auch kann möglicherweise die PHRR in der Weise gewichtet werden, dass die Funktionsreserven der resezierten Leber mit einfließen. In einer Studie an 12 konsekutiven Patienten konnten nach Injektion von nur 20 Mbq Technetium-99 HIDA-Zeit-Aktivitätskurven mit individuellen Lebersegmenten gemessen werden. Diese Ergebnisse korrelierten sehr gut mit cholangiographischen Beschreibungen der Krankheitsausdehnung, mit den üblichen Leberfunktionstests und dem histologischem Staging [31].
Möglicherweise können damit die mit den bisherigen Leberfunktionstests verbundenen Unsicherheiten überwunden werden [32–34].

Venöse Drainage von Lebertumoren

Hepatozelluläre Karzinome metastasieren vorwiegend hämatogen. Daher ist es bei der Festlegung chirurgischer Grenzen wichtig, die Tumorhämodynamik besonders in Bezug auf den Blutabfluss des Tumors zu berücksichtigen. In einer prospektiven Studie an 67 Patienten konnten 3 Typen der Blutdrainagewege beim hepatozellulären Karzinom nachgewiesen werden: der Marginaltyp, der portal-venöse Typ und der hypovaskuläre Typ. Der portal-venöse Typ wurde durch anatomische Segmentresektion, die beiden anderen Typen durch limitiertere Resektionen entfernt. Multiple Knoten wurden in dem resezierten drainierenden Leberparenchym gefunden, was die Hypothese einer intrahepatischen hämatogenen Metastasierung unterstützt [35].

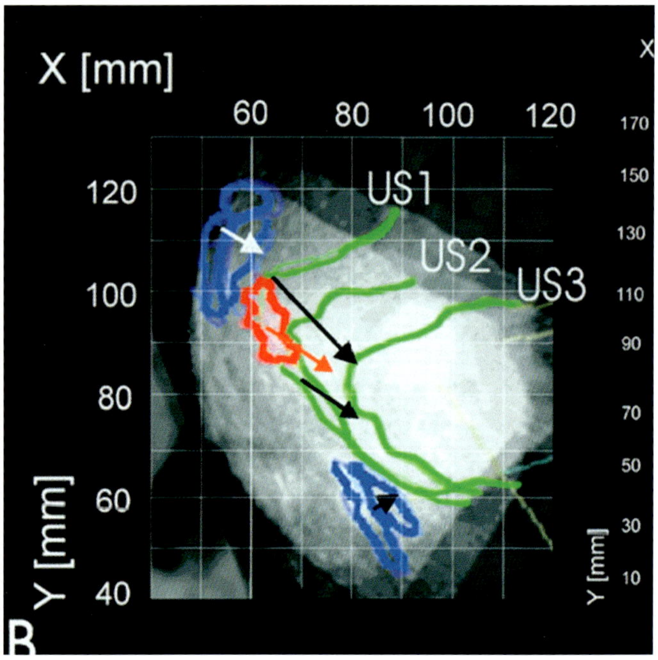

Abb. 3. Beispiel des «brain shifts» mit intraoperativer Korrektur mittels 3D-Ultraschall bei einem Patienten mit einem rechtstemporalen Glioblastom. Überlagerung von präoperativen diffusionsgewichteten MRT-Daten und sequentiellen 3D-Sonographien zeigen den «brain shift» während dreier Sonographien an (grün). Capsula interna (rot), Vorder und Hinterhorn des rechten Seitenventrikels (blau). Mit freundlicher Genehmigung aus Coenen VA, et al: Neurosurgery 2005, 56:133–141 [46].

Navigation

Navigation ist die Kunst, von einem Ort zu einem anderen zu finden. Bis zum 20. Jahrhundert wurde dieser Begriff entsprechend seinem lateinischen Ursprung hauptsächlich für die Steuerung von Schiffen auf hoher See benutzt.
In der Chirurgie kann Navigation auch als interaktive bildgesteuerte Chirurgie («interactive image-guided surgery; IIGS) enger umschrieben werden.
Sie erzeugt eine simultane Echtzeit-Darstellung der OP-Instrumente in den präoperativ gewonnenen Bilddatensätzen während der Operation. Ein IIGS-System muss folgende 3 Komponenten besitzen:

1) einen Registrierungsprozess, der einen Punkt in dem zu operierenden Organ mit demselben Punkt in den Bilddaten lokalisiert,
2) das OP-Instrument, das in seiner Lokalisation und Ausrichtung im Raum erfasst wird, und
3) eine Methode, welche die physikalische Lokalisation des Instruments mit den Bilddaten gemeinsam darstellt. Dies muss in Echtzeit geschehen.

Die computerassistierte Navigation für rigide anatomische Strukturen ist weit fortgeschritten und bereits in der klinischen Routine im Einsatz [36–38]. Die orthopädische und neurochirurgische Chirurgie sowie die Mund-Zahn-Kiefer-Orthopädie sind Vorreiter auf diesem Feld [39–41]. In der Neurochirurgie haben die Systeme Genauigkeiten von 0,5–1 mm erreicht und können funktionelle MRT-Daten, die auch im OP gewonnen werden, in die Bildgebung integrieren [42, 43]. Die meisten Forschungsanstrengungen in diesem Fach beziehen sich auf die so genannte «Brain-shift»-Problematik, die intraoperative Verschiebung und Volumenänderung der Hirnsubstanz im Vergleich zu den präoperativ gewonnenen Daten.

Eine zentrale Herausforderung bei allen Ansätzen, die präoperative Therapieplanung auf die eigentliche Therapiemaßnahme – d. h. in der Regel die Operation – zu übertragen, besteht darin, dem Planungsbefund mit dem intraoperativen Situs «zur Deckung» zu bringen. Das Bindeglied stellen moderne Navigationsverfahren dar, die in diesem Heft in dem Beitrag von Kleemann et al. [44] dargestellt sind. Intraoperatives MRT [45] und 3D-Sonographie [46] ermöglichen die Feinanpassung (Abb. 3).

In der viszeralen Chirurgie ist dieses Problem deutlich komplexer als z. B. in der Mund-Kiefer-Gesichts- oder Neurochirurgie. Die Organe bewegen sich nicht nur im Millimeter-, sondern im Zentimeter- und sogar Dezimeterbereich. Torsionen und Volumenveränderungen sind typisch. Die erste funktionierende Navigation in der Viszeralchirurgie war eine gesteuerte Platzierung eines «Afterloading»-Bestrahlungs-Sets, das intraoperativ auf das Sakrum platziert wurde. Dabei wurde in Analogie zur Neurochirurgie die Rigidität des Os sacrum ausgenutzt [47]. In der hepatobiliären Chirurgie existieren erste Ansätze, intraoperative 3D-Ultraschalls mit navigierbaren Instrumenten so zu kombinieren, dass die Navigation innerhalb von kurzen Zeitintervallen tatsächlich möglich wird. Für interventionelle Maßnahmen wurden optische und elektromagnetische Sensoren eingesetzt, die eine Registrierung und synchrone Darstellung mit der Primärbildgebung erlauben (aber nur im Phantom) [48–50]. Störgrößen sind die Atemverschieblichkeit und die Mobilisation der Leber durch den Operateur [51–54]. Weitere Versuche, der Organbewegung Herr zu werden, beziehen sich auf die intraoperative Anwendung von Tomographiesystemen wie MRT und CT, die jedoch aufgrund des technischen Aufwands und der räumlichen Beschränkung eher niedrigeren Stellenwert haben. Neue technische Entwicklungen wie Cone-Beam-CT-Diagnostik mit multidetektorbestückten C-Bögen erscheinen für diesen Zweck eher einsetzbar zu sein [55].

Experimentelle Studien zur Implantation von Sensoren in das Leberparenchym sind zur Zeit im Gange. Diese ermöglichen die Anwendung von Verformungsmodellen mit bisher unerreichbarer Genauigkeit auch in der Tiefe. Der Nachteil ist jedoch das traumatische Einbringen der Sensoren [56]. Oberflächenmarker auf Rippenbögen, Becken und der Leber sind experimentell zum Einsatz gekommen, führen aber in der Tiefe des Leberparenchyms vor allem im Bereich der kritischen Gefäßstrukturen zu ungenauen Ergebnissen. Sie können bisher lediglich als grobe Orientierungshilfe dienen [57]. In einer Oberflächenmarkerstudie mit Leuchtdioden wurden selbst bei Beschränkung auf die Bewegungsartefakte durch die Atmung bereits dramatische Ungenauigkeiten in der Lebertiefe gemessen [58]. Oberflächen-Scanning mit Laserbasierten Systemen erreichen physikalische Genauigkeiten von 1,4 ± 0,8 mm an der Organoberfläche [59]. Um wenigstens näherungsweise Tiefeninformation trotz Beweglichkeit der Organe zu erhalten, werden mathematische Verformungsmodelle angewendet, die mit projizierten geometrischen Formen arbeiten [60].

Ist ein Registrierungsprozess abgeschlossen, gelten die Daten nur so lange, wie das Organ nicht bewegt wird. Im Falle von nichtrigiden Organen wie der Leber muss daher ein Daten-Update in Echtzeit und in kurzen Zeitabständen erfolgen. Ein solches System ist derzeit nicht verfügbar.

In der laparoskopischen Chirurgie kommen dagegen schon heute semiautomatische Abgleiche der Datensätze der Gefäßstrukturen zur Anwendung. Die laparoskopische Nebennierenoperation und die laparoskopische Lymphadenektomie beim Magenkarzinom wurden bereits mit einer Genauigkeit von 7 mm bildgebend unterstützt [61, 62].

Bildgesteuerte Chirurgie für Pankreastumoren

Ein per Roboter bildgesteuertes radiochirurgisches System wurde modifiziert, um mit Hilfe implantierter Marker das Pankreas zu lokalisieren. Dieses System erlaubte, Atmungsartefakte durch Koordination von Atempause und Bestrahlungsfreigabe zu kompensieren. Die Genauigkeit wurde mit ±1 mm für die pankreatischen Tumoren angegeben [63].

Computer-Chirurg-Interface

Visuelle Tiefenperzeption der komplexen Anatomie von Weichgewebeorganen ist von hoher Bedeutung für die Orientierung und die konsequente Umsetzung in ein operatives Vorgehen. Navigationsinformationen müssen daher intuitiv erfassbar sein, um vom Chirurgen akzeptiert zu werden. Stereoskopische Visualisierung unter Benutzung eines prismabasierten Displays erlaubt, die Navigation in einem Simulator schneller und akkurater durchzuführen als mit Standard 2D- oder 3D-Visualisierungstechniken [64].

Schlussfolgerung

Eine im Routinebetrieb anwendbare Software für 3D-Analysen der Anatomie von viszeralen Organen, insbesondere der Leber, ist von verschiedenen Entwicklern beziehbar und wird bereits im OP eingesetzt. Die Aufarbeitung der CT-Datensätze mit Segmentierung der Organstrukturen ist allerdings sehr zeit- und personalaufwändig. Vollautomatische Segmentierungs-Tools sind bisher nicht evaluiert. Computergenerierte Resektionsvorschläge werden bereits erfolgreich in den OP-Situs übertragen. Die Navigation befindet sich noch in der Entwicklung und stützt sich vorwiegend auf den intraoperativen 3D-Ultraschall. Die Registrierung der Organe und der Instrumente wird vorwiegend optisch durchgeführt. Elektromagnetische Sensoren werden nur vereinzelt erprobt, da sie sehr störanfällig auf Metallgegenstände reagieren.

Wenn ein Registrierungsprozess abgeschlossen ist, gelten die Daten nur so lange, wie das Organ nicht bewegt wird. Im Falle von nichtrigiden Organen wie der Leber muss daher ein Daten-Update in Echtzeit und in kurzen Zeitabständen erfolgen. Ein solches System, das eine Navigation über einen längeren Zeitraum sicherstellt, ist zurzeit nicht verfügbar. Implantierbare Registrierungssonden existieren bisher nur in Phantomexperimenten und haben den Nachteil der Traumatisierung und der erschwerten Registrierung mittels optischer bzw. elektromagnetischer Verfahren. Der intraoperative Datenabgleich (Sonographie/CT/MRT) in Echtzeit ist bisher noch nicht gelöst. Die Validierung der Planungsdaten existieren bisher nur in Ansätzen. Die Ergonomie, d. h. die Verfügbarkeit der Daten in intuitiv erfassbarer und manipulierbarer Weise, muss noch erheblich verbessert werden.

Die Zukunft gehört möglicherweise einem intelligenten Skalpell, das seine Dissektionsaktivität herabsetzt wenn der geplante Resektionspfad verlassen wird. Durch Verfügbarkeit weiterer Funktionsdaten während der Operation wird sich die computergestützte Chirurgie über die «image-guided surgery» zur «information-guided surgery» weiterentwickeln und fester Bestandteil in Ausbildung und Training werden. Die Endverantwortung der Operation wird jedoch auch in Zukunft beim Chirurgen verbleiben.

Literatur

1 Marescaux J, Smith MK, Folscher D, Jamali F, Malassagne B, Leroy J: Telerobotic laparoscopic cholecystectomy: initial clinical experience with 25 patients. Ann Surg 2001;234:1–7.

2 Marescaux J, Leroy J, Gagner M, Rubino F, Mutter D, Vix M, Butner SE, Smith EB: Transatlantic robot-assisted telesurgery. Nature 2001;413: 379–380.

3 Rojas R (Hrsg.): Die Rechenmaschinen von Konrad Zuse. Berlin, Springer, 1998.

4 Lanier J: Virtually there. Sci Am 2001;284:66–75.

5 Chui CK, Chen P, Wang Y, Ang MHJ, Cai Y: (1998) Tactile controlling and image manipulating apparatus for computer simulation of image guided surgery. 2nd International Conference on Recent Advances in Mechatronics, Istanbul, Turkey.

6 Marescaux J, Clement JM, Tassetti V, Koehl C, Cotin S, Russier Y, Mutter D, Delingette H, Ayache N: Virtual reality applied to hepatic surgery simulation: the next revolution. Ann Surg 1998;228:627–634.

7 Lamadé W, Glombitza G, Demiris AM, Cardenas C, Meinzer HP, Richter G, Lehnert T, Herfarth C: Virtuelle Operationsplanung in der Leberchirurgie. Chirurg 1999;70:239–45.

8 McCann C, Alasti H: Comparative evaluation of image quality from three CT simulation scanners J Appl Clin Med Phys. 2004;5:55–70.

9 Schroeder T, Malago M, Debatin JF, Goyen M, Nadalin S, Ruehm SG: 'All-in-one' imaging protocols for the evaluation of potential living liver donors: comparison of magnetic resonance imaging and multidetector computed tomography. Liver Transpl 2005;11:776–87.

10 Kamel IR, Kruskal JB, Warmbrand G, Goldberg SN, Pomfret EA, Raptopoulos V: Accuracy of volumetric measurements after virtual right hepatectomy in potential donors undergoing living adult liver transplantation. AJR Am J Roentgenol 2001;176:483–487.

11 Kamel IR, Choti MA, Horton KM, Braga HJ, Birnbaum BA, Fishman EK, Thompson RE, Bluemke DA: Surgically staged focal liver lesions: accuracy and reproducibility of dual-phase helical CT for detection and characterization Radiology 2003;227:752–757.

12 Soler L, Delingette H, Malandain G, Montagnat J, Ayache N, Koehl C, Dourthe O, Malassagne B, Smith MK, Mutter D, Marescaux J: Fully automatic anatomical, pathological, and functional segmentation from CT scans for hepatic surgery. Comput Aided Surg 2001;6:131–142.

13 Lamecker H, Lange T, Seebass M, Eulenstein S, Westerhoff M, Hege HC: Automatic segmentation of the liver for preoperative planning of resections. Stud Health Technol Inform 2003;94: 171–173.

14 Bilello M, Gokturk SB, Desser T, Napel S, Jeffrey RB Jr, Beaulieu CF: Automatic detection and classification of hypodense hepatic lesions on contrast-enhanced venous-phase CT. Med Phys 2004;31:2584–93.

15 Schenk A, Prause G, Peitgen HO: Efficient semiautomatic segmentation of 3D objects in medical images; in Proceedings of the Third International Conference on Medical Image Computing and Computer-Assisted Intervention. Lecture Notes In Computer Science. London, Springer, 2000, vol 1935, 2000, pp 186–195

16 van Koesveld JJ, Tetteroo GW, de Graaf EJ: Use of head-mounted display in transanal endoscopic microsurgery Surg Endosc 2003;17:943–946.

17 Lee LS, Carr-Locke DL, Ookubo R, Saltzman JR: Randomized trial of a video headset vs. a conventional video monitor during colonoscopy Gastrointest Endosc 2005;61(2):301–6.

18 Viirre E, Pryor H, Nagata S, Furness TA 3rd: The virtual retinal display: a new technology for virtual reality and augmented vision in medicine. Stud Health Technol Inform 1998;50:252–257.

19 Herfarth C, Lamadé W, Fischer L, Chiu P, Cardenas C, Thorn M, Vetter M, Grenacher L, Meinzer HP: The effect of virtual reality and training on liver operation planning. Swiss Surg 2002;8: 67–73.

20 Crosthwaite G, Chung T, Dunkley P, Shimi S, Cuschieri A: Comparison of direct vision and electronic two- and three-dimensional display systems on surgical task efficiency in endoscopic surgery. Br J Surg 1995;82:849–851.

21 Schowengerdt BT, Seibel EJ: True three-dimensional displays that allow viewers to dynamically shift accommodation, bringing objects displayed at different viewing distances into and out of focus. Cyberpsychol Behav 2004;7(6):610–20.

22 Tanizawa Y, Nakagohri T, Kinoshita T, Konishi M, Takahashi S, Nakajima S, Kobayashi E, Liao H, Sakuma I, Dohi T: Feasibility study of imaging of intraductal papillary mucinous tumors of the pancreas based on integral photography. Hepatogastroenterology 2005;52:258–60.

23 Hutarew G, Moser K, Dietze O: Comparison of an auto-stereoscopic display and polarized stereoscopic projection for macroscopic pathology. J Telemed Telecare 2004;10:206–13.

24 Togo S, Shimada H, Kanemura E, Shizawa R, Endo I, Takahashi T, Tanaka K: Usefulness of three-dimensional computed tomography for anatomic liver resections: sub-subsegmentectomy. Surgery 1998;123:73–78.

25 Platzer W, Maurer H: Zur Variabilität der Lebersegmente. Chir Praxis 1966;10:499–505.

26 Fasel JH, Selle D, Evertsz C, Terrier F, Peitgen HO, Gailloud P: (). Segmental anatomy of the liver: poor correlation with CT. Radiology 1998;206:151–156.

27 Fischer L, Cardenas C, Thorn M, Benner A, Grenacher L, Vetter M, Lehnert T, Klar E, Meinzer HP, Lamade W: Limits of Couinaud's liver segment classification: a quantitative computer-based three-dimensional analysis. J Comput Assist Tomogr 2002;26:962–7.

28 Lamadé W, Glombitza G, Fischer L, Chiu P, Cárdenas CE, Thorn M, Meinzer H-P, Grenacher L, Bauer H, Lehnert T, Herfahrt C: The impact of 3-dimensional reconstructions on operation planning in liver surgery. Arch Surg 2000;135: 1256–1261.

29 Rau HG, Schauer R, Helmberger T, Holzknecht N, von Ruckmann B, Meyer L, Buttler E, Kessler M, Zahlmann G, Schuhmann D, Schildberg FW: Impact of virtual reality imaging on hepatic liver tumor resection: calculation of risk. Langenbecks Arch Surg 2000;385:162–170.

30 Wigmore SJ, Redhead DN, Yan XJ, Casey J, Madhavan K, Dejong CH, Currie EJ, Garden OJ: Virtual hepatic resection using three-dimensional reconstruction of helical computed tomography angioportograms. Ann Surg 2001;233: 221–226.

31 Jonas E, Hultcrantz R, Slezak P, Blomqvist L, Schnell PO, Jacobsson H: Dynamic 99Tcm-HIDA SPET: non-invasive measuring of intrahepatic bile flow. Description of the method and a study in primary sclerosing cholangitis. Nucl Med Commun 2001;22:127–134.

32 Schneider PD: Preoperative assessment of liver function. Surg Clin North Am 2004;84:355–73.

33 Lee SG, Hwang S: How I do it: assessment of hepatic functional reserve for indication of hepatic resection. J Hepatobiliary Pancreat Surg 2005;12: 38–43.

34 Lee WC, Chen MF: Assessment of hepatic reserve for indication of hepatic resection: how I do it. J Hepatobiliary Pancreat Surg 2005;12: 23–6.

35 Sakon M, Nagano H, Nakamori S, Dono K, Umeshita K, Murakami T, Nakamura H, Mon-

den M: Intrahepatic recurrences of hepatocellular carcinoma after hepatectomy: analysis based on tumor hemodynamics. Arch Surg 2002;137: 94–99.

36 Bumm K, Wurm J, Rachinger J, Dannenmann T, Bohr C, Fahlbusch R, Iro H, Nimsky C: An automated robotic approach with redundant navigation for minimal invasive extended transsphenoidal skull base surgery. Minim Invasive Neurosurg 2005;48:159–64.

37 Samset E, Hogetveit JO, Cate GT, Hirschberg H: Integrated neuronavigation system with intraoperative image updating. Minim Invasive Neurosurg 2005;48:73–6.

38 Ewers R, Schicho K, Undt G, Wanschitz F, Truppe M, Seemann R, Wagner A: Basic research and 12 years of clinical experience in computer-assisted navigation technology: a review. Int J Oral Maxillofac Surg 2005;34:1–8.

39 Martin A, von Strempel A: CT-based and CT-free navigation in total knee arthroplasty – a prospective comparative study with respects to clinical and radiological results. Z Orthop Ihre Grenzgeb 2005;143:323–8.

40 Skowronski J, Bielecki M, Hermanowicz K, Skowronski R: The radiological outcomes of total knee arthroplasty using computer assisted navigation ORTHOPILOT. Chir Narzadow Ruchu Ortop Pol 2005;70:5–8.

41 Schipper J, Maier W, Arapakis I, Spetzger U, Tatagiba M, Laszig R: Information assisted surgery as a transdisciplinary surgical procedure. Laryngorhinootologie 2005;84:165–70.

42 Grunert P, Darabi K, Espinosa J, Filippi R: Computer-aided navigation in neurosurgery. Neurosurg Rev 2003;26:73–99.

43 Gasser T, Ganslandt O, Sandalcioglu E, Stolke D, Fahlbusch R, Nimsky C: Intraoperative functional MRI: Implementation and preliminary experience. Neuroimage 2005;26:685–693.

44 Kleemann M, Hildebrand P, Mirow L, Roblick U, Bürk C, Bruch HP: Navigation in der Viszeralchirurgie. Chir Gastroenterol 2005;21(suppl 2):14–20.

45 Winkler D, Tittgemeyer M, Schwarz J, Preul C, Strecker K, Meixensberger J. The first evaluation of brain shift during functional neurosurgery by deformation field analysis. J Neurol Neurosurg Psychiatry 2005;76:1161–3.

46 Coenen VA, Krings T, Weidemann J, Hans FJ, Reinacher P, Gilsbach JM, Rohde V: Sequential visualization of brain and fiber tract deformation during intracranial surgery with three-dimensional ultrasound: an approach to evaluate the effect of brain shift. Neurosurgery 2005;56:133–41.

47 Tonus C, Strassmann G, Debertshaeuser D, Kolotas C, Walter S, Zamboglou N, Nier H: Intraoperative radiotherapy. Chirurg 2001;72:731–735.

48 Wood BJ, Zhang H, Durrani A, Glossop N, Ranjan S, Lindisch D, Levy E, Banovac F, Borgert J, Krueger S, Kruecker J, Viswanathan A, Cleary K: Navigation with electromagnetic tracking for interventional radiology procedures: a feasibility study. J Vasc Interv Radiol 2005;16:493–505.

49 Bao P, Warmath J, Galloway R Jr, Herline A: Ultrasound-to-computer-tomography registration for image-guided laparoscopic liver surgery. Surg Endosc 2005;19:424–9.

50 Sjolie E, Lango T, Ystgaard B, Tangen GA, Nagelhus Hernes TA, Marvik R: 3D ultrasound-based navigation for radiofrequency thermal ablation in the treatment of liver malignancies. Surg Endosc 2003;17:933–8.

51 Wilheim D, Feussner H, Schneider A, Harms J: Electromagnetically navigated laparoscopic ultrasound Surg Technol Int 2003;11:50–4.

52 Birth M, Iblher P, Hildebrand P, Nolde J, Bruch HP: Ultrasound-guided interventions using magnetic field navigation. First experiences with Ultra-Guide 2000 under operative conditions. Ultraschall Med 2003;24(2):90–5.

53 Cannon JW, Stoll JA, Salgo IS, Knowles HB, Howe RD, Dupont PE, Marx GR, del Nido PJ: Real-time three-dimensional ultrasound for guiding surgical tasks. Comput Aided Surg 2003;8: 82–90.

54 Lange T, Eulenstein S, Hünerbein M, Schlag PM: Vessel-based non-rigid registration of MR/CT and 3D ultrasound for navigation in liver surgery. Comput Aided Surg 2003;8:228–40.

55 Siewerdsen JH, Moseley DJ, Burch S, Bisland SK, Bogaards A, Wilson BC, Jaffray DA: Volume CT with a flat-panel detector on a mobile, isocentric C-arm: pre-clinical investigation in guidance of minimally invasive surgery. Med Phys 2005;32: 241–254.

56 Vetter M, Wolf I, Hassenpflug P, Hastenteufel M, Ludwig R, Grenacher L, Richter G, Uhl W, Büchler M, Meinzer HP: Navigation aids and real-time deformation modeling for open liver surgery; in Galloway, RL Jr (ed): Medical Imaging 2003: Visualization, Image-Guided Procedures, and Display. Proc SPIE. Bellingham, WA, 2003, vol 5029, pp 58–68

57 Kaspersen JH, Sjolie E, Wesche J, Asland J, Lundbom J, Odegard A, Lindseth F, Nagelhus Hernes TA: Three-dimensional ultrasound-based navigation combined with preoperative CT during abdominal interventions: a feasibility study. Cardiovasc Intervent Radiol 2003;26:347–56.

58 Herline AJ, Herring JL, Stefansic JD, Chapman WC, Galloway RL, Dawant BM: Surface registration for use in interactive, image-guided liver surgery. Comput Aided Surg 2000;5:11–17.

59 Cash DM, Sinha TK, Chapman WC, Terawaki H, Dawant BM, Galloway RL, Miga MI: Incorporation of a laser range scanner into image-guided liver surgery: surface acquisition, registration, and tracking. Med Phys 2003;30:1671–1682.

60 Hayashibe M, Suzuki N, Kobayashi S, Nakata N, Hattori A, Nakamura Y: Development of a 3D visualization system for surgical field deformation with geometric pattern projection. Stud Health Technol Inform 2005;111:172–177.

61 Marvik R, Lango T, Tangen GA, Andersen JO, Kaspersen JH, Ystgaard B, Sjolie E, Fougner R, Fjosne HE, Nagelhus Hernes TA: Laparoscopic navigation pointer for three-dimensional image-guided surgery. Surg Endosc 2004;18:1242–8.

62 Takiguchi S, Sekimoto M, Fujiwara Y, Yasuda T, Yano M, Hori M, Murakami T, Nakamura H, Monden M: Laparoscopic lymph node dissection for gastric cancer with intraoperative navigation using three-dimensional angio computed tomography images reconstructed as laparoscopic view. Surg Endosc 2004;18(1):106–10.

63 Murphy MJ Adler JR Jr, Bodduluri M, Dooley J, Forster K, Hai J, Le Q, Luxton G, Martin D, Poen J: Image-guided radiosurgery for the spine and pancreas. Comput Aided Surg 2000;5:278–288.

64 Vetter M, Hassenpflug P, Thorn M, Cardenas C, Richter GM, Lamadé W, Herfarth C, Meinzer HP: Evaluation of visualization techniques for image-guided navigation in liver surgery. Stud Health Technol Inform 2002;85:536–41.

Chirurgische Gastroenterologie Interdisziplinär

Übersichtsarbeit · Review Article

Chir Gastroenterol 2005;21(suppl 2):14–20
DOI: 10.1159/000089343

Navigation in der Viszeralchirurgie

Markus Kleemann Philipp Hildebrand Lutz Mirow Uwe Roblick Conny Georg Bürk
Hans-Peter Bruch

Klinik für Chirurgie, Universitätsklinikum Schleswig-Holstein – Campus Lübeck, Deutschland

Schlüsselwörter
Navigation · Tracking · Leberchirurgie · Laparoskopie

Zusammenfassung
Die Integration von Navigationstechniken ist bislang besonders in Fachbereichen gelungen, die die Registrierung auf starre Körperstrukturen ausrichten können (z. B. Orthopädie und Neurochirurgie). In der Viszeralchirurgie steht in erster Linie die Leber im Mittelpunkt der Navigation, da die intrahepatischen Gefäßstrukturen sowohl für die diagnostischen Verfahren als auch für therapeutische Resektionsverfahren eine Leit- und Zielstruktur bieten. Wir beschreiben die Anwendung eines ultraschallbasierten Navigationssystem in der interventionellen, offenen und laparoskopischen Leberchirurgie.

Key Words
Navigation · Tracking · Liver surgery · Laparoscopy

Summary
Navigation in Visceral Surgery
Integration of navigation techniques is still a domain in medical specialties where registration processes refer to rigid body structures, e. g. orthopedics or neurosurgery. In visceral surgery the liver is the predominant organ for navigation purposes. The intrahepatic vascular anatomy is the main landmark for diagnostic imaging or therapeutic resection planning. We report about the application of an ultrasound-based navigation system in interventional, open and laparoscopic liver surgery.

Navigation in der Chirurgie

Chirurgische Eingriffe am Menschen erfordern eine genaue Kenntnis der Anatomie und die Notwendigkeit sich anhand der eigenen dreidimensionalen Vorstellungskraft am und im Körper zu orientieren. Der Einsatz von Navigations- oder «Tracking»-Systemen in der Chirurgie dient der Positionsbestimmung von Objekten, wie z. B. Arbeitsinstrumenten, und anatomischen Strukturen. Um Position und Orientierung eines Objekts bestimmen zu können, werden Informationen der drei translatorischen und drei rotatorischen Bewegungsachsen benötigt (Abb. 1). Jedes Objekt besitzt sechs Freiheitsgrade (degrees of freedom; DOFs) für seine Position und Bewegung. Um die genaue Position eines Objekts zu erhalten, stehen mehrere Techniken zur Verfügung. Im Gegensatz dazu existiert eine Vielzahl medizinischer Systeme, die auf genaue Positionsdaten angewiesen sind. Die Einsatzgebiete erstrecken sich von der Diagnostik über Simulation und Planung bis hin zur intraoperativen Navigation. Ziel ist es, die Genauigkeit des Eingriffs zu erhöhen und Risiken zu verringern. Aufgabe der Navigationssysteme ist sowohl die Positionsbestimmung und Führung medizinischer Instrumente als auch das Auffinden anatomischer und pathologischer Strukturen.

Die verschiedenen «Tracking»-Verfahren

Unter dem englischen Wort «Tracking» (to track; engl. aufspüren, verfolgen) ist das Auffinden eines bestimmten Punkts im Raum zu verstehen. Hierfür werden z. B. Bilddaten in einem Koordinatensystem erfasst (tracking) und die aktuelle Lage des Patienten nachgeführt (matching). Dieses Prinzip erlaubt es, bestimmte Arbeitsschritte in der Chirurgie zu navigieren, da Bilddaten eines Patienten zur Steuerung z. B. eines Dissektionsinstruments dienen können.
Ein gutes «Tracking»-System sollte sechs DOFs aufweisen. Die DOFs unterteilen sich in die Qualitäten Position und Orientierung.

KARGER
Fax +49 761 452 07 14
E-mail Information@Karger.de
www.karger.com

Accessible online at:
www.karger.com/cga

Dr. med. Markus Kleemann
Klinik für Chirurgie
Universitätsklinikum Schleswig-Holstein – Campus Lübeck
Ratzeburger Allee 160, 23538 Lübeck, Deutschland
Tel. +49 45 15 00 20-01, Fax -69
E-mail markus.kleemann@ukl.uni-luebeck.de.de

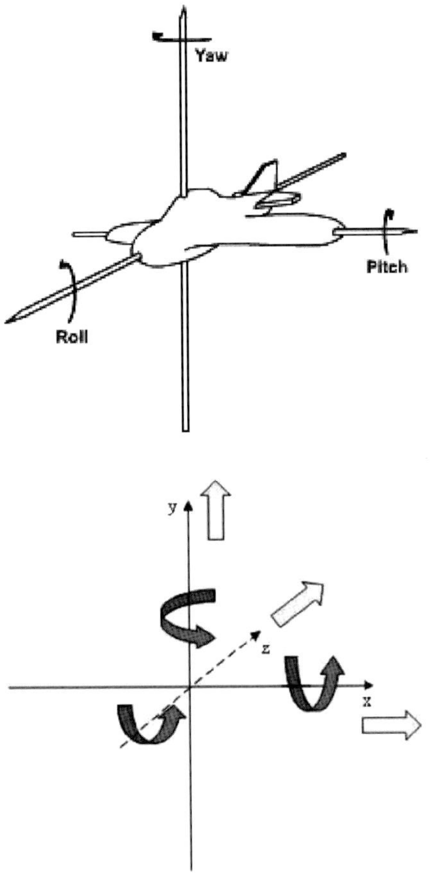

Abb. 1. Darstellung der rotatorischen (beispielhaft am Flugzeug oben und dunkelgraue Pfeile unten) und der translatorischen (hellgraue Pfeile unten) Bewegungsachsen [modifiziert nach 1].

Tab. 1. Übersicht über verschiedene «Tracking»-Verfahren (rechts) und wichtige Messgrößen (links)

Auswahl verschiedener «Tracking»-Verfahren
Optisches «Tracking» (markerbasiert)
Elektromagnetisches «Tracking»
Akustisches «Tracking»
Glasfaser-«Tracking»
Mechanisches «Tracking»
Optisches «Tracking» (markerlos)
Wichtige Messgrößen von Navigationssystemen
Latenzzeit: Zeit zwischen Messung und Bestimmung der Position
Messzeit: Zeit für die Messung einer Position
Genauigkeit: Messtoleranz des Verfahrens (Entfernung von Soll- und Ist-Position)
Auflösung: kleinste messbare Positionsänderung
Reichweite: Arbeitsbereich des Verfahrens
Interferenz: Störanfälligkeit durch äußere Einflüsse

Tab. 2. Gründe für den Einsatz von Navigationsverfahren in der Viszeralchirurgie

Steigerung der (Ziel-)Genauigkeit
Kleinerer Zugangsweg
Übertragung präoperativer Planungsdaten
Semiautomation von Operationsschritten
Kameraführung
Zielgenaue Kombination endoskopisch-laparoskopischer Eingriffe
Simulation
Ausbildung

Beide können in Form eines Vektors in einem dreidimensionalen Koordinatensystem angegeben werden. Bei der Orientierung lassen sich verschiedene äquivalente Definitionen bilden. Eine einfache Definition beschreibt eine Orientierung durch eine Sequenz von drei Einzeldrehungen um die drei Hauptachsen eines Objekts. Die Winkel dieser Einzeldrehungen werden mit Gierwinkel (azimuth, yaw oder pan), Neigungswinkel (pitch, elevation oder tilt) und Rollwinkel (roll) bezeichnet. Diese Winkel werden auch als Euler-Winkel bezeichnet. Für eine exaktere Betrachtungsweise müssen ein Referenzpunkt, die Orientierung des Koordinatensystems und der Winkel sowie die Reihenfolge, in denen die drei Einzeldrehungen ausgeführt werden, festgelegt werden. Ein ideales «Tracking»-System liefert sowohl die drei Positionskoordinaten als auch die drei Euler-Winkel. Zahlreiche Systeme liefern derzeit in der Medizin nur eine Untermenge dieser Daten. Aber wie die Erfolge der früheren Seefahrt zeigen, lässt sich selbst mit einem Kompass (keine Positionsinformation; nur ein Gierwinkel) durch die Ausnutzung weiterer Zusammenhänge eine akzeptable Lage des Standorts durchführen. Eine Übersicht verschiedener «Tracking»-Systeme und deren wichtigsten Eigenschaften sind in Tabelle 1 zusammengefasst.

Auf die gebräuchlichsten «Tracking»-Verfahren und auf die viel versprechende Glasfasernavigation wird im Folgenden kurz eingegangen.

Elektromagnetische «Tracking»-Verfahren

Elektromagnetische «Tracking»-Verfahren bestehen aus zwei Komponenten: einem Sender und einem Empfänger. Das System kann den relativen Abstand und die relative Orientierung der beiden Komponenten zueinander bestimmen. Üblicherweise ist der Sender fest montiert und der Empfänger beweglich. Bei bekannten Positionsparametern des Senders können daraus die Positionsparameter des Empfängers bestimmt werden. Sender und Empfänger bestehen aus jeweils drei zueinander rechtwinklig angeordneten Spulen. Unterschieden werden Verfahren mit Wechselstrom- und Gleichstromfeldern [2].

Optische «Tracking»-Verfahren

Eine Unterteilung der optischen Verfahren wird anhand der Methode, mittels der Objekte erkannt werden, gemacht. Der erste Unterschied ist, ob das Verfahren markenbasiert oder markenlos ist. Markenbasierte Verfahren lassen sich weiter in aktive und passive Verfahren unterteilen. Die eigentliche Positionsbestimmung ist bei allen Verfahren gleich. Benötigt werden mindestens zwei Kameras. Aus den Bilddaten lässt sich mittels Triangulierung die Position des Objekts errechnen. Jedes einzelne Bild liefert dabei die Richtung, in der sich das betrachtete Objekt vom Projektionsmittelpunkt der Kamera aus befindet. Der Schnittpunkt dieser Richtungsvektoren, unter Berücksichtigung der Kamerapositionen, ergibt die Position. Um auch die Orientierung zu bestimmen, müssen mehrere Referenzpunkte des Objekts angepeilt werden. Problematisch ist die Okklusion, also die Verdeckung von Objekten, was in der intraoperativen Anwendung z.B. durch die sterile Abdeckung oder das Operationsteam hervorgerufen werden kann [3].

Glasfasernavigation

Ein neues Verfahren ist die Positionsbestimmung mittels Glasfasersensoren. Das Grundprinzip dieses Verfahrens ist die Messung der Verformung eines Trägermaterials. Ziel ist es, Form und Position des Trägermediums aus den Messwerten zu errechnen. Hierzu werden Krümmungssensoren in diskreten Abständen auf dem Medium, z.B. einem Band oder Schlauch, angebracht. Aus den so gewonnenen Messdaten lässt sich die Krümmung für das gesamte Medium näherungsweise berechnen. Im letzten Schritt wird aus dem Krümmungsverlauf die Position der einzelnen Punkte errechnet [4].

Von besonderem Nutzen könnte diese Technik für die Endoskopie sein. Die Positionsbestimmung bei starren Endoskopen ist mittels mechanischer Navigationssysteme, die am Endoskop befestigt sind, möglich [5]. Auch optische Verfahren können eingesetzt werden, um aus dem sichtbaren Teil des Endoskops auf Lage und Position zu schließen. Um die genaue Position im Körper des Patienten darstellen zu können muss auch der Patient erfasst werden. Die Glasfasertechnik ist eine neue Methode, die nicht nur die Lokalisation der Endoskopspitze, sondern auch die des gesamten Endoskops erlaubt. Bisher ist eine derartige Technik nicht im Einsatz. Prinzipieller Unterschied zur bisher dargestellten Funktion von Glasfasersensoren ist die Integration der Sensoren in das Endoskop oder eine geeignete Anbringung am Endoskop. Glasfasersensoren sind zudem weitestgehend resistent gegen äußere Einflüsse und erzeugen keine Wechselwirkung mit Geräten in der Umgebung.

Navigation in der Viszeralchirurgie am Beispiel der Leberchirurgie

Besondere Problematik in der Leberchirurgie

Die funktionell-anatomische Gliederung der Leber nach Coinaud [6] entsprechend dem intrahepatischen Gefäßverlauf der vaskulären Strukturen ist die Basis jeder modernen Leberchirurgie. Die intraoperative Sonographie stellt den intrahepatischen Gefäßverlauf und den zu resezierenden Tumor dar und definiert auf diese Weise die Resektionsgrenzen. Die direkte Umsetzung der sonographisch gewonnenen Information auf die Resektionsführung kann jedoch gerade bei Segment- bzw. Sektorektomien Schwierigkeiten bereiten. Nach Projektion der Gefäßverläufe auf die Leberkapsel entsprechend dem Ultraschallbild, erfolgt die Parenchymdissektion selbst gegenwärtig ohne bildgebende Unterstützung, so dass signifikante Abweichungen von der geplanten Resektionsebene resultieren können (Abb. 2).

Nur durch den Einsatz einer permanenten Online-Navigation basierend auf intraoperativer Bildgebung während der Parenchymdurchtrennung lässt sich eine exakte Einhaltung der geplanten Resektionsebene realisieren. Ziel des Einsatzes von Navigationsinstrumenten in der Leberchirurgie ist somit die genauere Einhaltung einer präoperativ geplanten Resektionsebene mit planbarem Sicherheitsabstand zu Tumoren und zentralen Lebergefäßen.

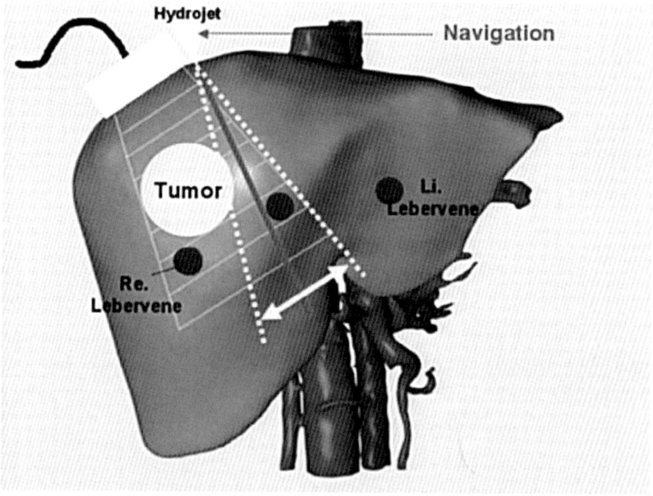

Abb. 2. Abweichung der geplanten (durchgezogene Linie) von der tatsächlichen Resektionsebene (gestrichelte Linien) in Abhängigkeit des Dissektionswinkels.

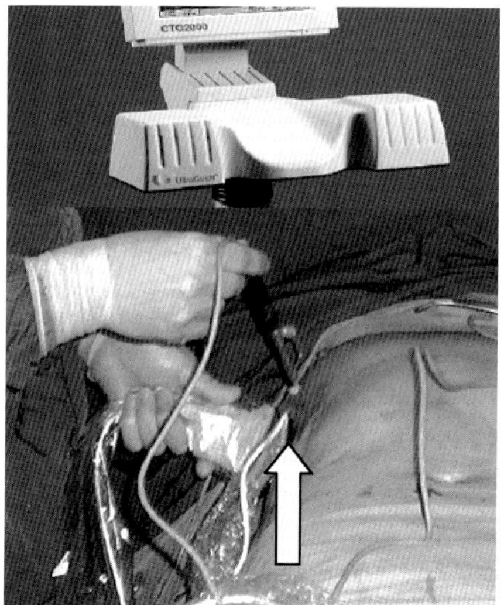

Abb. 3. Sender elektromagnetisches Feld (oben), Konnektion der Magnetfeldsensoren unter sterilen OP-Bedingungen an den Ultraschallkopf und die Radiofrequenzablationssonde (Pfeil); nach [7].

Navigation von Leberpunktionen und Radiofrequenzablation

Unsere Erfahrung basiert auf der Verwendung eines mobilen Navigationssystems auf Basis eines elektromagnetischen «Tracking»-Systems (UltraGuide 2000®, UltraGuide Ltd., Tirat Hacarmel, Israel). Das enthaltene «Tracking»-System [2] basiert auf der Gleichstromfeldtechnik. Das Navigationssystem besteht aus verschiedenen Systemkomponenten: der zentralen Recheneinheit, auf dem die Navigationssoftware installiert ist, einem Systemmonitor der zugleich als Touchscreen dient, einer Sendeeinheit und zwei Magnetfeldsensoren (Abb. 3) Auf dem Systemmonitor wird das vom Ultraschallgerät gewonnene und in das Navigationssystem übertragene sonographische B-Bild übertragen. Dem Bild werden die Navigationsdaten in Echtzeit überlagert (Abb. 4).
Der Einsatz des Navigationssystems erfolgte zunächst bei insgesamt 39 Interventionen an 11 Patienten (35 transkutane und 4 offene Punktionen). Das Navigationssystem wurde mit dem Ultraschallgerät Hawk 2102® (BK Medical, Gentofte, Dänemark) mit einem multifrequenten (2,7–5,0 MHz) «Curved-array»-Schallkopf (Typ 8665; BK Medical) verbunden. In 23 Fällen erfolgte die Radiofrequenzablation nach navigierter Punktion der Lebermetastase, darunter viermal intraoperativ nach Laparotomie. Hierbei wurden insgesamt 16 Lebermetastasen bei 4 Patienten behandelt, die primär nicht resektabel waren. Einige Metastasen wurden aufgrund ihrer Größe mehrfach punktiert und abladiert. In Weiteren erfolgten 15 diagnostische Punktionen bei 7 Patienten mit Lebertumoren. Eine Punktion erfolgte aus therapeutischen Gründen zur Drainage eines Abszesses. Unter strikter Einhaltung des Punktionsalgorithmus nach erfolgter Kalibration der Punktions- und Ablationsinstrumente mit dem Ultraschallkopf traten keine Fehlpunktionen auf [7].

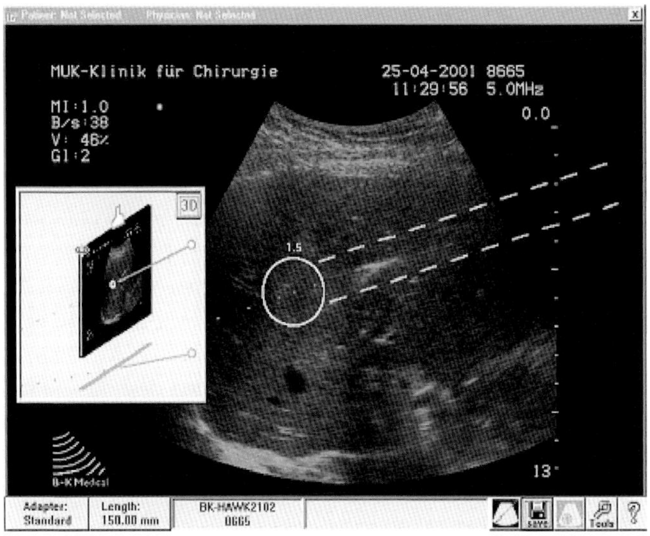

Abb. 4. Virtuelle Verlängerung (Trajektorie) des Dissektionsinstruments und Überlagerung mit dem intraoperativen sonographischen B-Bild.

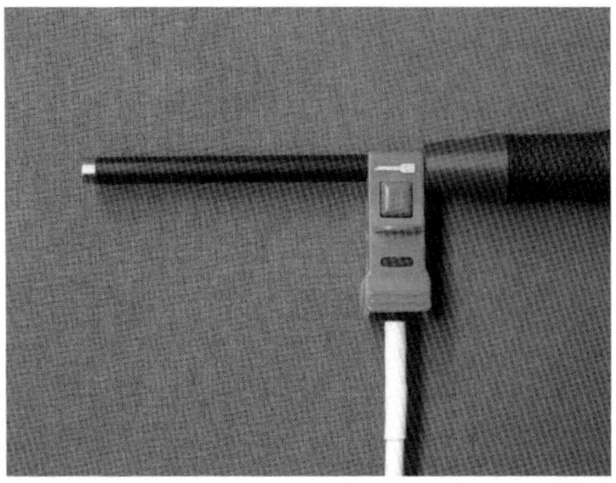

Abb. 5. Konnektion des elektromagnetischen «Trackers» an ein Wasserstrahldissektionsinstrument [8].

Navigation in der offenen Leberchirurgie

Es folgte die Entwicklung eines speziellen für den Hydrojet-Dissektor konzipierten Adapters (Abb. 5), und es gelang erstmals ein Navigationssystem mit einem Parenchymdissektionsinstrument zu verbinden und im Rahmen von Leberresektionen einzusetzen.
Das von der Sendeeinheit erzeugte Magnetfeld mit einer Ausdehnung von etwa 40 × 40 × 30 cm muss den Körperbereich, in dem die Operation durchgeführt wird, d. h. den rechten Oberbauch mit der Leber, abdecken. Zugleich müssen sich die am Ultraschallkopf sowie an der Hydrojet-Spitze befestigten Sensoren während des gesamten Navigationsphase innerhalb des Magnetfelds befinden. Die Navigationsdaten werden auf das Ultraschallbild projiziert und ermöglichen so die Darstellung einer virtuellen Resektionslinie. Ein dreidimensionaler Triangulationsalgorithmus erlaubt eine gezielte Instrumentenführung zum Zielpunkt auch außerhalb der Schallebene (so genannter «Out-of-plane»-Modus) [8]. Diese Online-Navigationstechnik kann in der resezierenden Leberchirurgie zur Erhöhung der Genauigkeit beitragen, da Registrierungsfehler auf präoperative Bilddaten vermieden werden.

Zwischen Januar 2003 und August 2005 erfolgte die navigierte Leberresektion bei 11 Patienten mit primären und sekundären Lebertumoren mit Hilfe der intraoperativen, ultraschallgesteuerten Online-Navigation der Parenchymdissektionsphase. Behandelt wurden 7 Männer und 4 Frauen im Alter von durchschnittlich 61,3 Jahren (42–82 Jahren). Zwei Patienten (18,2%) hatten primäre Leberkarzinome (1 hepatozelluläres Karzinom, 1 cholangiozelluläres Karzinom) 9 Patienten (81,2%) hatten Lebermetastasen (81,2%) (7 Metastasen eines kolorektales Karzinoms, 1 Mammakarzinom- und 1 Magenkarzinommetastase). Eine Segment- oder Bisegmentektomie wurde bei 5 Patienten (45,5%), eine rechtsseitige Hemihepatektomie bei 2 Patienten (18,2%), eine erweiterte rechtsseitige Hemihepatektomie bei 3 Patienten (27,3%) und eine Mesohepatektomie bei 1 Patienten (9,1%) durchgeführt. Die zusätzliche Nutzung des Navigationssystems verlängerte weder die Dauer der Dissektion, noch erhöhte sie den Blutverlust des Patienten signifikant. Bei allen Patienten konnte eine R0-Resektion unter einer exakten Führung des Hydrojet-Dissektors erreicht werden. Intraoperativ traten keine auf der Navigationstechnik basierenden Komplikationen auf [9].

Navigation in der laparoskopischen Leberchirurgie

Trotz technischer und instrumenteller Fortschritte in der laparoskopischen Chirurgie bleibt ihr Einsatz in der Leberresektion aufgrund methodischer Limitationen auf ausgewählte Indikationen beschränkt. Ihr Einsatz und deren Limitationen sind Thema aktueller kontroverser Diskussion [10–12]. Die dreidimensionale Darstellung laparoskopischer Ultraschallbilder mit Hilfe von elektromagnetischen «Tracking»-Systemen bestätigte im Vergleich zu sowohl transkutanen Ultraschallaufnahmen als auch 3D-CT-Bildern die Machbarkeit einer laparoskopischen Navigation [26]. Tendenziell wurde die sonographische Unterschätzung des Tumorvolumens im Vergleich zum CT beschrieben [25]. Die laparoskopisch navigierte Radiofrequenzablation durch 3D-Ultraschall wurde am Organmodell der Leber als der Freihandpunktion überlegen geschildert. Probleme traten jedoch durch die zweizeitige Bilddarstellung und die damit verbundene Deformation des Organmodells auf [27].

Ziel unserer Untersuchungen war die Entwicklung und der Einsatz eines laparoskopischen, ultraschallgestützten Navigationssystems zur Online-Navigation eines laparoskopischen Dissektionsinstruments. Das auf der Basis eines elektromagnetischen «Tracking»-Systems arbeitende ultraschallgestützte Navigationssystem UltraGuide 2000 wurde durch einen von uns neu konstruierten Adapter mit einer laparoskopischen Ultraschallsonde (BK Medical) verbunden (Abb 6a, b). Mit Hilfe eines Triangulationsalgorithmus kann das laparoskopische Resektionsinstrumentarium außerhalb der geplanten Resektions- oder Punktionsebene («Out-of-plane»-Modus) unter laparoskopisch-sonographischer Kontrolle auf einen Zielpunkt hingeführt werden. Nach Kalibration des Systems am Ultraschallphantom erfolgte der Einsatz zunächst an der Schweineleber im Tiermodell zur Evaluierung der technischen Durchführbarkeit und zur Detektion möglicher Störgrößen durch das laparoskopische Instrumentarium. Die Kalibration konnte mit der gleichen Genauigkeit wie mit einem herkömmlichen 3,5 MHz «Curved-array»-Schallkopf durchgeführt werden. Beim Einsatz am Tiermodell kam es zu keinen objektivierbaren Interferenzen zwischen dem Navigationssystem und dem laparoskopischem Instrumentarium [13]. Auch in Fällen der Abknickung der Spitze der laparoskopischen Ultraschallsonde traten keine Störungen der Navigation auf, da sich die elektromagnetischen «Tracker» relativ zur Spitze des Instruments und somit zur Ultraschallebene nicht bewegten. Das laparoskopische Instrument konnte gezielt auf die sonographisch determinierten anatomischen Landmarken navigiert werden. Weitere Untersuchungen zur systemimmanenten Genauigkeit sind notwendig, bevor ein klinischer Einsatz möglich wird.

a

b

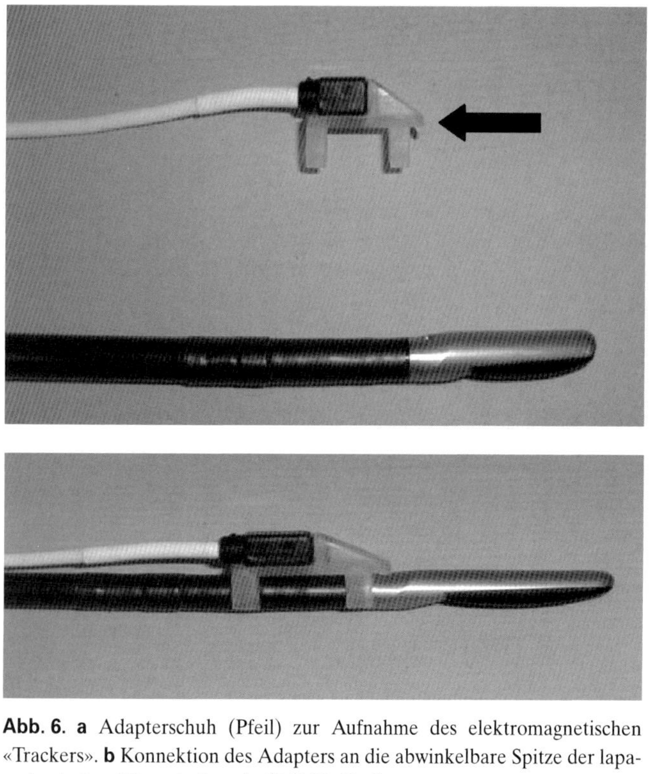

Abb. 6. a Adapterschuh (Pfeil) zur Aufnahme des elektromagnetischen «Trackers». **b** Konnektion des Adapters an die abwinkelbare Spitze der laparoskopischen Ultraschallsonde (B-K Medical).

Diskussion

Prä- und intraoperative Bildgebung

Für die intraoperative Echtzeit-Bildgebung in der navigierten Chirurgie kommen derzeit nur der intraoperative Ultraschall und die offene MRT in Frage [15]. Unsere Arbeitsgruppe präferiert den intraoperativen Ultraschall. Die interventionelle CT scheidet sowohl wegen der erhöhten Strahlenbelastung für Patient und Operateur als auch wegen der räumlichen Trennung von OP und CT in den allermeisten Kliniken aus. Die offene Kernspintomographie liefert derzeit eine der besten Auflösungen, ist aber kostenintensiv und für abdominelle Operationen kaum etabliert; darüber hinaus würde sie den operativen Ablauf erheblich behindern. Der intraoperative Ultraschall vereinigt in sich die hoch auflösende Darstellung des Leberparenchyms, die Mobilität und Wiederholbarkeit der Untersuchung sowie die Kosteneffektivität. Die Machbarkeit der Registrierung präoperativer MRT-Daten mit dem intraoperativen Ultraschall wurde gezeigt und kann die Einbindung präoperativer Bildgebung in das operative Geschehen in Zukunft ermöglichen [16]. Anforderungen an die intraoperative Navigation und deren Lösungsansätze sind bereits formuliert [17]. Bislang scheiterte die Umsetzung und klinische Anwendung jedoch an fehlenden bzw. noch unzulänglichen Registrierungsalgorithmen. Während des Eingriffs treten Organdeformationen durch Mobilisation und Bewegungsartefakte durch die Atmung auf. Sollen diese Deformationen in die Navigationsberechnungen mit einbezogen werden, müssen nichtlineare Registrierungsalgorithmen zum Einsatz kommen. In den vergangenen Jahren wurden verschiedenen nichtlineare Registrierungsalgorithmen entwickelt [18, 19]. Über das «Tracking» intraoperativer Organdeformation mittels nacheinander registrierten Ultraschallaufnahmen wurde ebenfalls bereits berichtet [20, 21]. Möglicherweise wird durch die Entwicklung ultraschneller nichtlinearer Registrierungsalgorithmen und deren Implementation in «High-performance»-Rechnereinheiten eine Echtzeit-Re-

Tab. 3. Instrumenten- und Marker-«Tracking»: Vergleich optische und elektromagnetische Systeme (modifiziert nach [5])

	Optisches «Tracking»	Elektromagnetisches «Tracking»
Mögliche Schneidinstrumente	alle	alle (keine handelsüblichen Adapter)
In-situ-Komponenten	keine (kabellos)	Kabelverbindung
DOFs	6 (3 Marker müssen mindestens erkennbar sein)	6 (mit 3 orthogonalen Sensorspulen)
Marker Geometrie	komplex	einfach
Marker Größe	groß (mehrere Zentimeter)	klein (im Millimeterbereich)
Störfaktoren	Verdecken der Marker	Metall / elektromagnetische Felder

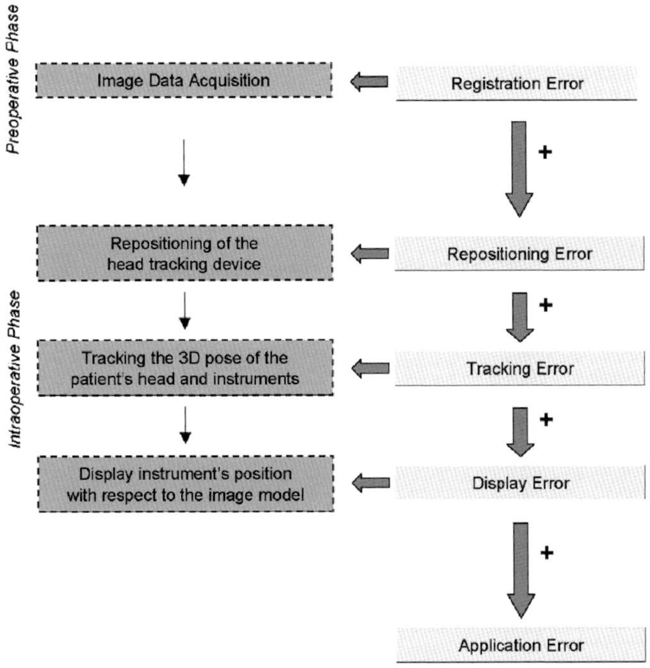

Abb. 7. Schema zur Darstellung des präoperativen und intraoperativen Arbeitsablaufs beim Einsatz von Navigationssystemen und assoziierten Fehlerquellen [nach 7].

gistrierung während einer chirurgischen Operation möglich [22, 23]. In einer Serie von 25 Patienten mit komplexen chirurgischen Lebereingriffen konnte gezeigt werden, dass die Ergebnisse der computerassistierten Risikoanalyse in mehr als 20% der Resektionen zu entscheidenden Änderungen der präoperativen Operationsplanung sowie der intraoperativen Operationsstrategie führten [24]. Durch die Anwendung ultraschneller Registrierungsalgorithmen könnten die präoperativen Risiko- und Planungsanalysen intraoperativ modifiziert und an operativ bedingte Deformationen angepasst und die optimale Resektion mittels Neuberechnung ermittelt werden.

Entwicklung eines Fehlermodells

Trotz aller Anstrengungen sind einige essentielle Randbedingungen noch nicht zufrieden stellend gelöst. Beispiele für diese Randbedingungen sind die Genauigkeit und Sicherheit der Anwendung sowie die hohen Kosten. Die Systemfehlerkontrolle ist für den Chirurgen essentiell. Eine Patientenrandomisierung erscheint nicht möglich. Fehlerquellen und ihr Einfluss auf einen Gesamtfehler können in jedem diagnostischen und therapeutischen Prozess auftreten. Diese Fehler müssen einzeln und summativ erkannt und hinsichtlich ihrer Wertigkeit und Beeinflussbarkeit analysiert werden. Nur so können Optimierungsmethoden entwickelt werden, die die verschiedenen Teilfehler minimieren und die intraoperative Navigation verbessern [14]. Ein Schema möglicher Fehlerquellen ist in Abbildung 7 zu sehen.

Fazit

In Zukunft kann durch Einbeziehung neuerer Techniken wie die der Navigation die Orientierung und die Genauigkeit bei Leberoperationen verbessert werden. Insbesondere bei fortgeschrittenen oder zentral gelegenen Lebertumoren erwarten wir eine Erhöhung der onkologischen Radikalität und somit im besten Falle eine Steigerung der Überlebenswahrscheinlichkeit. Eine Kombination von präoperativer und intraoperativer Bildgebung eröffnet dem Operateur bei notwendigen Änderungen des Resektionsausmaßes die Möglichkeit, Online-Information über das verbleibende Restvolumen der Leber zu erhalten. Bedarf für rechnerunterstützte Navigationsverfahren besteht sowohl in der offenen als auch in der laparoskopischen (Leber-)Chirurgie. Die Vorteile der minimal invasiven Chirurgie sollen erhalten und ihre Nachteile wie das Fehlen der taktilen Sinneswahrnehmung durch den Einsatz der Navigationstechnik aufgehoben werden.

Literatur

1 The NASA SCIence Files: *http://whyfiles.larc.nasa.gov/text/educators/activities/2000_2001/inclass/pitch_roll_yaw.html.*

2 Flock of Birds®, Six Degrees-of Freedom Measurement Device. Technical description of DC magnetic trackers. Burlington, Ascension Technology Corp. *www.5dt.com/downloads/3rdparty/fobtechnicalspec.pdf.*

3 Abdelmalek L, Hempel E, Schmack A, Fischer H, Bolz A: Development of an optical 3-D position measuring system for simultaneous detection of 6 degrees of freedom. Biomed Tech 2002; 47(3):48–53.

4 Weber D, Sudra G, Dillmann R: Navigationsverfahren in der Medizin. Seminar für medizinische Simulationssysteme; SS 2004. Universität Karlsruhe (TH); Institut für Rechnerentwurf und Fehlertoleranz (IRF).

5 Nimsky C, Rachinger J, Iro H, Fahlbusch R: Adaptation of a hexapod-based robotic system for extended endoscope-assisted transsphenoidal skull base surgery. Minim Invasive Neurosurg 2004;47(1):41–6.

6 Couinaud W: Bases anatomique des hepatecto-

mies gauche et droite reglees, techniques qui en deroule. J Chir 1954;70:933–966.
7 Birth M, Iblher P, Hildebrand P, Nolde J, Bruch HP: Ultraschallgesteuerte Interventionen unter virtueller Führung. Ultraschall Med 2003;24: 90–95.
8 Birth M, Kleemann M, Hildebrand P, Bruch HP: Intraoperative online navigation of dissection of the hepatical tissue – a new dimension in liver surgery? in: CARS 2004 – Computer Assisted Radiology and Surgery. Proceedings of the 18th International Congress and Exhibition., Chicago, USA, June 23–26, 2004. Amsterdam, Elsevier, 2004, vol 1268, pp 770–774.
9 Kleemann M, Hildebrand P, Matthäus L, Schweikard A, Birth M, Bruch HP: Navigation in der Viszeralchirurgie. Posterpräsentation auf der 4. Jahrestagung der Deutschen Gesellschaft für Computer- und Roboterassistierte Chirurgie (CURAC), Berlin, 22.–24.09.2005.
10 Descottes B, Glineur D, Lachachi F, Valleix D, Paineau J, Hamy A, Morino M, Bismuth H, Castaing D, Savier E, Honore P, Detry O, Legrand M, Azagra JS, Goergen M, Ceuterick M, Marescaux J, Mutter D, de Hemptinne B, Troisi R, Weerts J, Dallemagne B, Jehaes C, Gelin M, Donckier V, Aerts R, Topal B, Bertrand C, Mansvelt B, Van Krunckelsven L, Herman D, Kint M, Totte E, Schockmel R, Gigot JF: Laparoscopic liver resection of benign liver tumors. Surg Endosc 2003;17(1):23–30. Erratum in Surg Endosc 2003;17(4):668.
11 Gagner M, Rogula T, Selzer D: Laparoscopic liver resection: benefits and controversies. Surg Clin N Am 2004;84:451–462.
12 Mala T, Edwin B, Gladhaug I, Fosse F, Soireide O, Bergan A: A comparative study of the short term outcome following open and laparoscopic liver resection of colorectal metastasis. Surg Endosc 2002;16(7):1059–1063.
13 Kleemann M, Hildebrand P, Keller R, Bruch H-P, Birth M: Laparoscopic ultrasound navigation in liver surgery – technical aspects and feasibility; in: CARS 2004 – Computer Assisted Radiology and Surgery. Proceedings of the 18th International Congress and Exhibition., Chicago, USA, June 23–26, 2004. Amsterdam, Elsevier Int Congress Series 2004, vol 1268, pp793–796
14 Hauser R: Computerunterstützte 3D-Navigationssysteme – Plädoyer für ein Fehlermodell. HNO 2000;48:71–74.
15 Klotz HP, Flury R, Erhart P, Steiner P, Debatin JF, Uhlschmid G, Largiader F: Magnetic resonance-guided laparoscopic interstitial laser therapy of the liver. Am J Surg 1997;174:448–451.
16 Rexilius J, Handels H, Nabavi A, Kikinis R, Warfield S: Automatic nonrigid registration for tracking brain shift during neurosurgery; in Meiler M, Saupe D, Kruggel F, Handels H, Lehmann T (Hrsg): Bildverarbeitung für die Medizin. Algorithmen – Systeme – Anwendungen. Proceedings des Workshops vom 10.–12. März 2002 in Leipzig. Heidelberg, Springer, 2002, pp 135–138.
17 Vetter M, Hassenpflug P, Cardenas C, Thorn M, Glombitza W, Richter G, Meinzer HP: Navigation in der Leberchirurgie – Ergebnisse einer Anforderungsanalyse Anforderungen. in Handels H, Horsch A, Lehmann T, Meinzer H-P (Hrsg): Bildverarbeitung für die Medizin 2001. Algorithmen – Systeme – Anwendungen. Proceedings des Workshops vom 4.–6. März 2001 in Lübeck. Springer, Heidelberg, 2001, pp 49–53
18 Bro-Nielsen M: Medical Image Registration and Surgery Simulation, PhD thesis, Informatics and Mathematical Modelling, Danmarks Tekniske Universitet, Lyngby, 1996.
19 Bro-Nielsen M: Simulation techniques for minimally invasive surgery. Minim Invasive Ther Allied Technol 1997;6:106–110.
20 Blackall JM, King AP, Penney GP, Adam A, Hawkes DJ: A statistical model of respiratory motion and deformation of the liver; in Niessen WJ, Viergever MA (eds): Medical Image Computing and Computer-Assisted Intervention – MICCAI 2001. 4th International Conference Utrecht, The Netherlands, October 14–17, 2001. Lecture Notes in Computer Science. Heidelberg, Springer, 2001, vol 2208, pp 1338–1340.
21 King AP, Blackall JM, Penney GP, Hawkes DJ: Tracking Liver Motion Using 3.D Ultrasound and a Surface Based Statistical Shape Model. Proceedings MMBIA 2001, IEEE Computer Society, pp 145-152.
22 Modersitzki J: Numerical Methods for Image Registration. Oxford, Oxford University Press, 2004.
23 Fenn M, Potts D: Fast summation based on fast trigonometric transforms at nonequispaced nodes Numer Linear Algebra Appl 2002;12):161–169.
26 Lang H, Radtke A, Hindennach M, Schroeder T, Frühauf N, Malagó M, Bourquain H, Peitgen H-O, Oldhafer K, Broelsch CE. Impact of virtual tumor resection and computer-assisted risk analysis on operation planning and intraoperative strategy in major hepatic resection. Arch Surg 2005;140:629–638.
24 Wilheim D, Feussner H, Schneider A, Harms J: Electromagnetically navigated laparoscopic ultrasound. Surg Technol Int 2003;11:50–54.
25 Harms J, Feussner H, Baumgartner M, Schneider A, Donhauser M, Wessels G: Three-dimensional navigated laparoscopic ultrasonography: first experiences with a new minimally invasive diagnostic device. Surg Endosc 2001;15(12): 1459–1462.
26 Sjolie E, Lango T,Ystgaard B, Tangen GA, Nagelhus Hernes TA, Marvik R: 3D ultrasound-based navigation for radiofrequency thermal ablation in the treatment of liver malignancies. Surg Endosc 2003;17(6):933–938.

Chirurgische Gastroenterologie Interdisziplinär

Übersichtsarbeit · Review Article

Chir Gastroenterol 2005;21(suppl 2):21–28
DOI: 10.1159/000089344

Virtuelle chirurgische Operationssimulation

Kai Siegfried Lehmann Heinz Johannes Buhr Jörg-Peter Ritz

Abteilung für Visceral-, Gefäß- und Thoraxchirurgie, Chirurgische Klinik und Poliklinik I, Campus Benjamin Franklin, Charite – Universitätsmedizin Berlin, Deutschland

Schlüsselwörter
Virtuelle Operationssimulation · Minimal invasive Chirurgie · Lernkurve · Operationstraining

Zusammenfassung

In der minimal invasiven Chir,urgie werden an den Operateur Anforderungen gestellt, die sich wesentlich von denen der konventionellen Chirurgie unterscheiden. Lernkurven für minimal invasive Eingriffe werden mit 30–100 Eingriffen angegeben. Angesichts der weiteren Verbreitung der minimal invasiven Techniken, sowie der zunehmenden ökonomischen Orientierung der Medizin ist eine zielgerichtete Ausbildung für Chirurgen essentiell. In den letzten 15 Jahren wurden OP-Simulatoren entwickelt, die ein virtuelles laparoskopisches Training am Computer erlauben. Die Simulationen reichen von abstrahierten Basisübungen über OP-Teilschritte bis hin zu vollständigen virtuellen Operationen. Die Geräte sind jederzeit einsatzbereit, und im Gegensatz zu herkömmlichen Trainingsmethoden können anatomische Varianten und pathologische Zustände geübt werden. Die Trainingsleistung kann detailliert anhand verschiedener Parameter erfasst werden. Wissenschaftliche Studien konnten zeigen, dass an OP-Simulatoren ähnliche Lerneffekte erzielt werden können, wie sie auch in der tatsächlich praktizierten minimal invasiven Chirurgie zu beobachten sind. Wesentlich für die Akzeptanz war der Nachweis in prospektiv randomisierten Studien, dass die am Simulator erlernten Fähigkeiten in den OP übertragen werden können. Bestimmte Aspekte der Technik werden jedoch auch kontrovers betrachtet. So hat die Möglichkeit der Erfassung individueller Trainingsparameter zur Forderung geführt, Operationssimulatoren als Instrumente zur Beurteilung chirurgischer Leistungsfähigkeit zu benutzen. Derzeit existieren jedoch keine validen Daten, die eine diesbezügliche Eignung von Simulatoren belegen können. Simulatoren bieten bereits heute eine Ergänzung für das Training und werden in Zukunft einen wichtigen Teil der chirurgischen Ausbildung darstellen. Die bisherige Entwicklung war überwiegend technisch geprägt, die Weiterentwicklung sollte jedoch von chirurgischer Seite aktiv begleitet werden.

Key Words
Virtual surgery simulation · Minimally invasive surgery · Learning curve Surgical education

Summary

Virtual Surgery Simulation

Minimally invasive surgery (MIS) demands psychomotor skills that are not required in conventional surgery. 30–100 procedures are required to go through the learning curve. The propagation of MIS techniques and the increasing economic orientation of medicine underscores the importance of even more specific training for surgeons. During the last 15 years, surgery simulators have been developed which allow virtual laparoscopic computer training. Simulations range from basic skills training to parts of an operation or even complete virtual operations. Simulators are ready for use at any time and, in contrast to conventional training methods, situations such as anatomical variants and pathological conditions can be practiced. The training performance can be captured in various parameters. Scientific studies showed that the learning effects are similar to those of practiced MIS. The proof in randomized studies that the skills that were learned on simulators could be transferred to the operating room was essential for their acceptance. However, certain aspects of simulation techniques are controversial. For example, the possibility to acquire individual training data has led to the proposal of using simulators to assess surgical competence. Today, there are no valid data to support the suitability of simulators for assessment. Simulators already offer an enhancement for training and they will be an important part of surgical education in the future. As of yet, the development has been mainly technical but input into further development is necessary from the surgical side.

KARGER

Fax +49 761 452 07 14
E-mail Information@Karger.de
www.karger.com

Accessible online at:
www.karger.com/cga

Dr. med. Kai Lehmann
Abteilung für Visceral-, Gefäß- und Thoraxchirurgie
Chirurgische Klinik und Poliklinik I, Campus Benjamin Franklin
Charité – Universitätsmedizin Berlin
Hindenburgdamm 30, D-12200 Berlin
Tel.+49 30 84 45-25 43, Fax -27 40

Einleitung

Die Indikationen für laparoskopische Operationen werden zunehmend erweitert. Die minimal invasive Chirurgie (MIC) stellt heute das Standardverfahren für eine Vielzahl von Eingriffen dar. Dies bedeutet, dass junge Chirurgen laparoskopische Eingriffe erlernen, ohne zuvor Erfahrungen in der entsprechenden konventionellen Technik gesammelt zu haben. In der MIC werden an den Operateur vollkommen neue psychomotorische Anforderungen gestellt, die sich wesentlich von denen der konventionellen Chirurgie unterscheiden. Dies betrifft z.B. die Hand-Auge-Koordination innerhalb eines dreidimensionalen Operationsfelds, das jedoch nur auf einem zweidimensionalen Monitor beobachtet werden kann [1]. Zudem besitzen die Instrumente eingeschränkte Freiheitsgrade, und dem Chirurgen stehen nur begrenzte taktile und haptische Informationen zur Verfügung [2, 3]. Es überrascht daher nicht, dass die Einführung der MIC initial mit einer erhöhten Komplikationsrate behaftet war. Der Begriff der «Lernkurve» wurde in die Chirurgie eingeführt, um die Anzahl an Operationen zu erfassen, die ein Chirurg benötigt, um eine niedrige Komplikationsrate zu erreichen [1]. Je nach Art der Operation werden 30–100 Eingriffe benötigt, um die Plateauphase, also eine Phase mit geringer Komplikationsrate, zu erreichen [4, 5]. Die Lernkurve für laparoskopische Operationen wird jedoch nicht nur einmal in der chirurgischen Ausbildung durchlaufen. So beschreibt eine der ersten Studien über Komplikationsraten bei der laparoskopischen Cholezystektomie 16% Komplikationen während der ersten 25 Eingriffe des Operateurs, jedoch nur noch 4% während der zweiten 25 Eingriffe. Hier wird also eine deutliche Lernkurve durchschritten [6]. Nahezu identische Zahlen finden sich in einer ähnlich angelegten Studie 8 Jahre später für die laparoskopische Fundoplicatio. Die Autoren beschreiben 20% Komplikationen während der ersten 25 Eingriffe, jedoch nur noch 4% Komplikationen während der zweiten 25 Eingriffe [7]. Im Gegensatz zu der erstgenannten Studie handelte es sich bei der laparoskopischen Fundoplicatio um Operateure, die bereits alle langjährige laparoskopische Erfahrung hatten, hier jedoch eine neue Technik erlernt und angewendet haben. Mit dem Erlernen neuer Techniken oder der Verwendung neuer Instrumente wird die Lernkurve also zumindest in Teilen nochmals durchschritten.

Die Berichte über erhöhte Komplikationsraten und Lernkurven in der laparoskopischen Chirurgie haben zur Forderung von Ausbildungsmöglichkeiten außerhalb des Operationssaals geführt [3]. Auch ökonomische Aspekte unterstreichen die Notwendigkeit von adäquaten Trainingsmöglichkeiten. Unter dem zunehmenden Kostendruck ist der Chirurg zunehmend als maximal effizienter und fehlerfreier Techniker gefordert. Komplikationen sind auch ökonomisch nicht mehr vertretbar. Unter den Bedingungen der Diagnosis-Related Groups (DRG) stehen in den Kliniken zunehmend weniger Ausbildungskapazitäten zur Verfügung. Auf der anderen Seite werden gut ausgebildete Operateure gefordert, die schnell und effizient arbeiten können. Diese Anforderungen werden in Zukunft nur durch ein adäquates Training zu erreichen sein.

Erste Trainingsprogramme wurden Anfang der 1990er Jahre entwickelt und werden heute regelmäßig angeboten [8]. Hierbei haben sich im wesentlichen zwei Trainingsmodalitäten durchgesetzt. Das Training an Tiermodellen erlaubt eine weitgehend realistische Umgebung. Wesentliche Nachteile sind jedoch die zunehmenden ethischen Bedenken bei der Verwendung von lebenden Tieren sowie der ausgesprochen hohe Aufwand und die damit verbundenen hohen Kosten solcher Kurse. Dies hat dazu geführt, dass Lebendtiermodelle nur im Rahmen weniger Kurse angeboten werden können und nicht flächendeckend verfügbar sind. Nichtlebendmodelle stellen hier eine günstigere Alternative dar. Das Training am Pelvitrainer wurde bereits 1986 vom Semm [9] eingeführt. Hierbei können unter der Verwendung realistischer Instrumente laparoskopische Grundfertigkeiten wie Instrumenten- und Kameraführung trainiert werden. In fortgeschritteneren Szenarien werden Tierorgane benutzt, um spezifische Operationen zu trainieren. Während Basisübungen am Pelvitrainer weit verbreitet sind, können Tierorganmodelle aufgrund des damit verbundenen Aufwands in der Regel nur in Kursen angeboten werden.

Allen hier genannten Trainingsmodellen ist gemeinsam, dass nur Standardtechniken vermittelt und Standardsituationen trainiert werden können [10]. Der Erfolg einer Operation wird jedoch nur zum Teil von den technischen Grundfertigkeiten des Operateurs bestimmt. So zeigte sich bei der Analyse von über 250 Gallengangverletzungen bei der laparoskopischen Cholezystektomie, dass nur 3% dieser Komplikationen auf technische Fehler zurückzuführen waren [11]. In 97% der Fälle lag ein perzeptiver Fehler vor, also eine Fehleinschätzung der Situation durch den Operateur. Der Mensch ist geneigt, einmal erlernte Situationen wieder zu erwarten und in die Zukunft zu projizieren. Abweichende Situationen werden häufig nur erkannt, wenn sie bereits zuvor erlebt worden sind. Gerade das Training von unüblichen Situationen kann also zu einer Verringerung der Komplikationsrate führen. Das laparoskopische Training benötigt also Möglichkeiten, solche Bedingungen zu trainieren. Dies betrifft insbesondere anatomische Varianten und pathologische Zustände wie z.B. Gallengangvariationen oder eine akute Cholezystitis.

Trainingserfahrungen stehen aus anderen sicherheitskritischen Bereichen, z.B. der Luftfahrt, zur Verfügung. So ist es für Piloten heute selbstverständlich, während ihrer Ausbildung, aber auch im Verlauf des Berufslebens am Flugsimulator zu trainieren. Kein Pilot eines großen Passagierflugzeuges wird ein neues Flugzeugmodell fliegen oder einen unbekannten Flughafen ansteuern, ohne dies zuvor im Simulator trainiert zu haben. Für Chirurgen ist die Realität heute jedoch immer noch häufig «see one, do one, teach one» [12].

Doch auch für Chirurgen stehen heute erweiterte Trainingsmöglichkeiten zur Verfügung. In den letzten 15 Jahren wurden Operationssimulatoren entwickelt, die ein virtuelles laparoskopisches Training am Computer erlauben. Ziel dieser Geräte ist es, eine virtuelle Realität zu schaffen, mit der beliebige Szenarien trainiert werden können. Unter «virtueller Realität» werden hierbei Techniken verstanden, die es dem Menschen erlauben, mit computerisierten 3D-Modellen in Echtzeit zu interagieren [13]. Die Anwendungsgebiete solcher virtueller OP-Simulatoren sind das Training von laparoskopischen Grundfertigkeiten, aber auch das prozedurale Training, also das Üben von OP-taktischen Abläufen. Hinzu kommt das Management von Komplikationen und die Leistungsbewertung. Die ersten Entwicklungen begannen Anfang der 1990er Jahre. Die frühen Geräte gestatteten aufgrund der begrenzten Computerkapazität nur abstrahierte Übungen in schematischen 3D-Welten. Die exponentielle Entwicklung der Computerleistung in den letzten Jahren hat jedoch dazu geführt, dass anspruchsvolle 3D-Simulationen auf herkömmlichen Computern zu entwickeln sind. Moderne Geräte gestatten fortgeschrittene Interaktionen, z. B. die Interaktion mit Weichgewebe. Die Grafikleistung erlaubt eine zum Teil photorealistische Darstellung von Operationsszenarien. Hinzu kommen Eingabegeräte, die mit Kraftrückkopplungsmechanismen versehen sind und dem Benutzer ein realistisches taktiles Feedback geben.

Aktueller Stand der Technik

Während in der Anfangszeit der Entwicklung von OP-Simulatoren teure Grafik-Workstations benutzt wurden, bestehen die heutigen Geräte überwiegend aus einem herkömmlichen Computer mit leistungsfähiger Grafikkarte und schnellem Prozessor. Eine firmenspezifische Simulationssoftware stellt die OP-Simulation auf einem Monitor dar. Hinzu kommen Eingabegeräte, die laparoskopische Instrumente nachahmen. Hierbei sind sowohl Eigenentwicklungen zu finden als auch kommerziell erhältliche Eingabegeräte, die bei Bedarf auch nachgerüstet werden können. Die Eingabegeräte sind zum Teil mit einem Kraftrückkopplungsmechanismus versehen, einem so genannten Force-Feedback. Hiermit können haptische Informationen an den Benutzer zurückgegeben werden, so dass ein taktiler Eindruck der Simulation vermittelt wird. Geräte wie der Lap Mentor™ (Simbionix Ltd., Lod, Israel) oder das VEST System™ (Select-IT VEST Systems AG, Bremen, Deutschland) werden in einem dedizierten Gehäuse angeboten, dass die Einzelgeräte des Simulators zu einer Einheit verbindet. Die Geräte sind mit einer leistungsfähigen Hardware ausgerüstet, die fortgeschrittene Simulationen gestattet. Die Gehäuse sind transportabel, aufgrund der Größe der Geräte jedoch nicht für häufige Ortswechsel geeignet. Geräte wie der Procedicus MIST™ (Mentice AB, Göteborg, Schweden) oder der LapSim™ (Surgical Science Ltd., Göteborg, Schweden) bestehen aus einem Computer mit Tastatur und Maus sowie einem Flachbildschirm und laparoskopischen Eingabeinstrumenten. Diese Geräte sind leicht transportabel und können bei Bedarf mit weiteren kommerziell erhältlichen Komponenten erweitert werden.

Analog zum Flugsimulator können mit OP-Simulatoren prinzipiell beliebige Szenarien dargestellt und trainiert werden. Die Simulationsqualität ist hierbei durch zwei Faktoren begrenzt: Die zur Verfügung stehende Rechenleistung limitiert die Komplexität der Simulation und damit den Grad des erreichten Realismus. In Anbetracht der schnellen Entwicklung der Computerhardware tritt dies in letzter Zeit jedoch immer mehr in den Hintergrund. Die Simulationssoftware wird somit zum bestimmenden Faktor für die Zielsetzung einer Simulation und den Grad des erreichten Realismus. Verschiedene Geräte verwenden hierbei unterschiedliche Simulationsansätze. Die algorithmische Umsetzung erfolgt mittels mathematisch-physikalischer Verfahren, wie zum Beispiel Masse-Feder-Systemen oder «Finite-element»-Methoden [14, 15]. Je nach Kombination aus Hardware und Software werden unterschiedliche Zielsetzungen verfolgt. Während einige Simulatoren den Schwerpunkt auf das Training von laparoskopischen Grundfertigkeiten in abstrahierten Umgebungen setzen, fokussieren andere Geräte auf die Darstellung möglichst realistischer OP-Szenarien. Abbildung 1 zeigt verschiedene kommerziell erhältliche Geräte.

Laparoskopische Basisübungen werden von allen Geräten angeboten (Abb. 2). Hierbei handelt es sich um das Training von Kamera- und Instrumentenführung, ein- oder beidhändige Manipulation von Objekten, Anwendung spezifischer Techniken wie Elektrokauterisation oder Applikation von Clips und weitere Übungen. Fortgeschrittene Übungen werden derzeit nur von einigen Simulatoren angeboten. Im Bereich der laparoskopischen OP-Simulation wird derzeit vor allem die Cholezystektomie simuliert (Abb. 2). Hierbei werden Teilschritte wie die Dissektion der Arteria cystica und des Ductus cysticus trainiert oder vollständige laparoskopische Cholezystektomien dargestellt. Prinzipiell wird eine echte Simulation angestrebt, also eine freie Interaktion mit der simulierten Umgebung. Tatsächlich sind die Interaktionsmöglichkeiten jedoch noch begrenzt, dies betrifft insbesondere die Interaktion mit Weichgewebe.

Ein wesentlicher Faktor, der OP-Simulatoren von herkömmlichen Trainingsverfahren wie dem Pelvitrainer oder Organmodellen unterscheidet, ist die Leistungsbewertung. Alle zur Verfügung stehenden Geräte können verschiedene Trainingsparameter erfassen. Hierbei handelt es sich um Grundparameter wie Trainingszeit, Fehler und Präzision. Zusätzlich werden simulationsspezifische Parameter erfasst, z. B. der Umgang mit Weichgewebe, die Verletzung benachbarter Strukturen, Blutverlust usw. Somit bieten OP-Simulatoren erstmals eine standardisierte Erfassung des individuellen Trainingsfortschritts an. Diese Parameter werden in Datenbanken erfasst, so dass ein trainierender Chirurg anhand mehrerer Übungsdurchläufe seinen Trainingsfortschritt dokumentieren kann. Zudem werden spezifische Trainingsdefizite deutlich und können selektiv geübt werden. Die Möglichkeit der Leistungserfassung hat jedoch auch zu einem zunehmenden Interesse an OP-Simulatoren als Instrument zur Beurteilung der chirurgischen Leistungsfähigkeit geführt. Im Rahmen der zunehmenden Zertifizierungsbemühungen in der Medizin besteht hier erstmals die Möglichkeit, die manuelle Leistungsfähigkeit eines Chirurgen zu überprüfen [16]. Auch die Verwendung von OP-Simulatoren zur Leistungsbeurteilung bei der Einstellung von Chirurgen wird diskutiert [17].

Die Vorteile des virtuellen OP-Trainings erscheinen offensichtlich: die Geräte sind jederzeit einsatzbereit, und es können beliebige Szenarien simuliert und jederzeit wiederholt werden. Im Gegensatz zu herkömmlichen Trainingsmethoden können anatomische Varianten und pathologische Zustände trainiert werden. Somit ist im Gegensatz zum bislang verfügbaren Training auch das Üben von Ausnahmesituationen möglich. Dies ermöglicht vollkommen

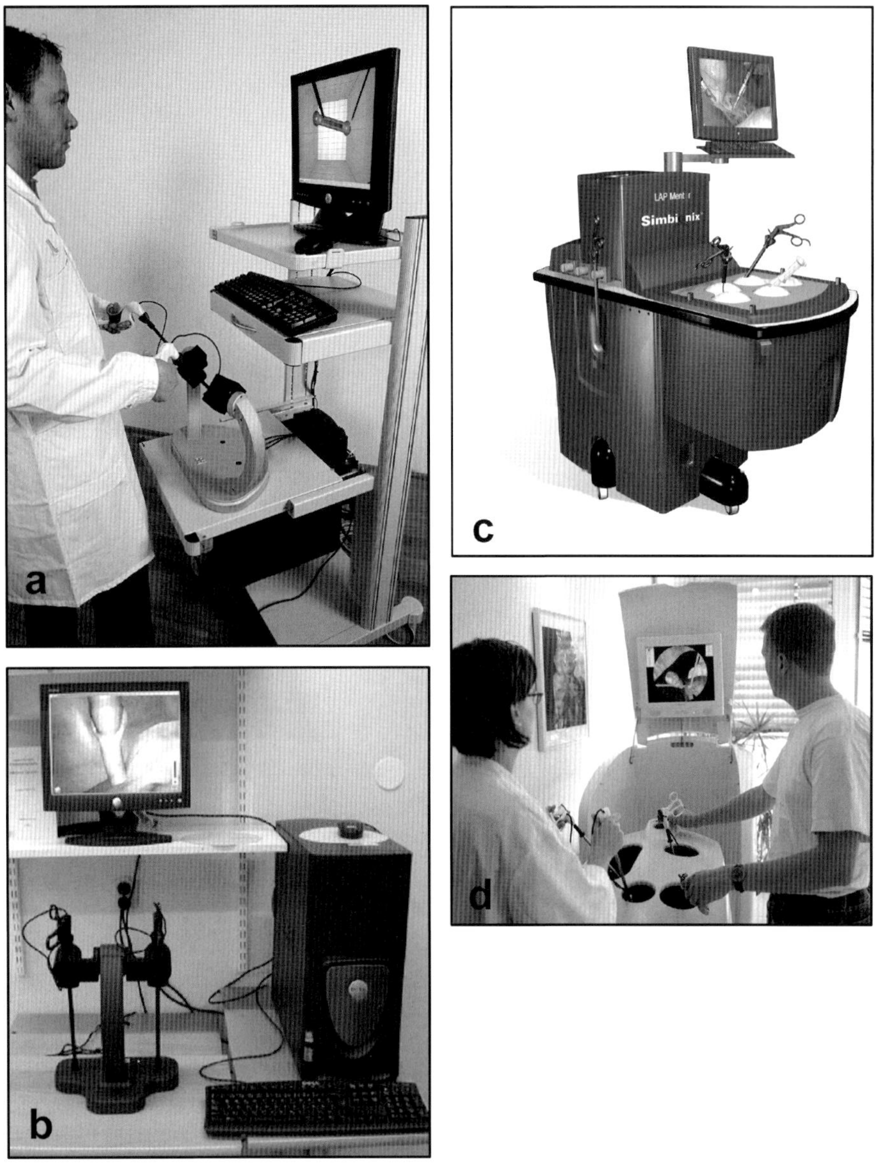

Abb. 1. Virtuelle OP-Simulatoren. Die Geräte werden in verschiedenen Ausführungen angeboten und unterscheiden sich bezüglich der Leistungsfähigkeit der Simulation, der Preisgestaltung und der Mobilität. **a** Procedicus MIST war einer der ersten kommerziell erhältlichen OP-Simulatoren. Das Gerät besteht aus einem Computer mit Simulationssoftware und separaten Peripheriegeräten. **b** LapSim besitzt einen ähnlichen Aufbau, jedoch andere Software. Das Gerät kann sowohl Basisübungen, als auch komplexere Simulationen darstellen. Die Software kann auf einem Laptop-Computer ausgeführt werden, so dass der Simulator leicht transportabel ist. **c** Lap Mentor wird in einem fahrbaren Gehäuse angeboten, in das eine Instrumentenplattform und ein verstellbarer Monitor integriert sind. Der Simulator fokussiert auf fortgeschrittene Szenarien, unter anderem wird eine vollständige virtuelle Cholezystektomie angeboten. **d** Das VEST System wurde in einem Projekt des Forschungszentrums Karlsruhe entwickelt. Das Gerät besitzt eine virtuelle Kamera und drei laparoskopische Instrumente.

neue Trainingskonzepte wie etwa ein gezieltes Training zur Vermeidung von Komplikationen. Das Training erfolgt außerhalb des OP-Saals, es müssen weder Organpräparate noch Tierversuche verwendet werden. Der Trainingsfortschritt ist detailliert erfassbar, was einen nicht zu unterschätzenden Motivationsfaktor darstellt. Zudem sind viele Simulatoren für mehrere Fachbereiche einsetzbar, so dass ein Gerät sowohl für die chirurgische Simulation als auch für die Gynäkologie oder Urologie benutzt werden kann. Dies ist in Anbetracht der derzeit noch hohen Anschaffungskosten insbesondere für größere Kliniken oder Klinikverbünde interessant. Während des jährlich in Warnemünde stattfindenden praktischen Kurses für Viszeralchirurgie wurden 2005 erstmals virtuelle Operationssimulatoren eingesetzt. Die Probanden konnten an den Geräten LapSim und Lap Mentor trainieren und ihre Leistung in mehreren Trainingsdurchläufen überprüfen.

Wissenschaftliche Evaluation

Der wesentliche Akzeptanzfaktor für den Einsatz von virtuellen OP-Simulatoren in der chirurgischen Ausbildung ist der Nachweis, dass diese Geräte ein verlässliches und validiertes Training erlau-

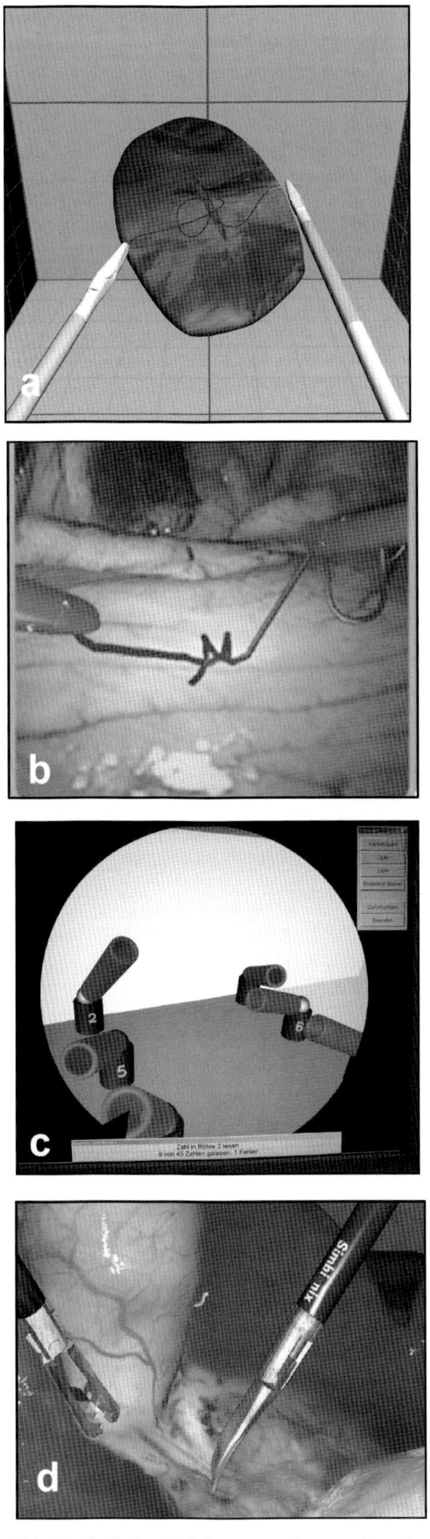

Abb. 2. Typische Trainingsszenarien an virtuellen OP-Simulatoren. **a** Nahtübung (Procedicus MIST). **b** Knotenübung (LapSim). **c** Kameratraining mit der 30°-Winkeloptik (VEST System). **d** Dissektion bei der Cholezystektomie (Lap Mentor).

ben und eine präzise Einschätzung der Trainingsleistung gestatten [13]. In den letzten Jahren hat sich eine Vielzahl von Publikationen mit verschiedenen Aspekten virtueller OP-Simulatoren wissenschaftlich auseinandergesetzt.

Erste Arbeiten beschrieben Lernkurven, wie sie auch von der MIC bekannt sind. So konnten Smith et al. [18] 2001 zeigen, dass bislang untrainierte Probanden am Procedicus MIST typische Lernkurven während 10 Übungsdurchläufen aufweisen. Die Auswertung der Trainingsparameter ergab, dass die Trainingszeit sich nur während der ersten 3 Durchläufe verbesserte, die Präzision der Bewegungen jedoch über alle 10 Durchläufe verbessert wurde. Diese Arbeit zeigte auch, dass die Erfassung verschiedener Trainingsparameter eine über die Trainingszeit hinausgehende Bewertung erlaubte. Weitere Arbeiten konnten zeigen, dass sich Chirurgen und untrainierte Probanden hinsichtlich der Trainingsparameter deutlich unterscheiden [19–21].

Nach der Darstellung grundlegender Trainingseigenschaften der Geräte bestand der nächste Schritt im Vergleich des virtuellen Trainings mit dem konventionellen Training. Torkington et al. [22] überprüften mit einem standardisierten laparoskopischen Test (ICSAD) die Leistung von Probanden. Es zeigte sich, dass die am OP-Simulator trainierte und die am konventionellen Pelvitrainer tranierte Gruppe vergleichbare Leistungen erreichten, die deutlich besser waren, als die einer untrainierten Vergleichsgruppe. In einer anderen Arbeit wurden die Trainingsleistungen anhand identisch konstruierter Übungen untersucht. Hierzu wurden eine Kamera- und eine Instrumentenübung benutzt, die als mechanisches Modell für den Pelvitrainer und in identischer Weise als Simulationsmodell für den OP-Simulator gestaltet wurden. An beiden Geräten zeigten sich vergleichbare Lernkurven. Zudem konnte gezeigt werden, dass die OP-Simulatorgruppe am Pelvitrainer dieselbe Übungsleistung erreichte wie die Gruppe, die initial am Pelvitrainer trainiert hat. Die am OP-Simulator erworbenen Fähigkeiten konnten also auf den Pelvitrainer als Umgebung unter Verwendung realer Instrumente übertragen werden [23].

Wesentlich für die Akzeptanz von virtuellen OP-Simulatoren als Alternative zum konventionellen Training war die Überprüfung der Übertragbarkeit der am Simulator erlernten Fähigkeiten in eine reale OP-Situation [24]. Die Autoren randomisierten 16 Angehörige einer amerikanischen Klinik in zwei Gruppen. Die erste Gruppe erhielt eine an der Klinik übliche Standardausbildung, die zweite Gruppe zusätzlich ein Training am OP-Simulator. Nach Abschluss der Trainingszeit führten beide Gruppen im OP die Dissektion einer Gallenblase bei der laparoskopischen Cholezystektomie als Teilschritt einer vollständigen Operation durch. Die Dissektionsschritte wurden auf Video aufgezeichnet und durch zwei Experten anonymisiert nach einem standardisierten Schema bewertet. Als wesentliches Ergebnis der Studie zeigte sich, dass die am OP-Simulator trainierten Probanden im Vergleich zu den konventionell trainierten Probanden sechsmal weniger Fehler während der Dissektion begingen. Zudem war die Simulatorgruppe in der Dissektion um 30% schneller. Die Autoren schlussfolgerten, dass das Simulatortraining die OP-Leistung verbessert und dass hier ein deutlicher Transfer von Fähigkeiten vom OP-Simulator in die reale OP-Situation stattgefunden hat. Diese Arbeit hatte einen wesentlichen Einfluss auf die Akzeptanz von OP-Simulatoren. 2002 wurde von einer Arbeitsgruppe des American College of Surgeons die Einbindung von OP-Si-

mulatoren in die reguläre Ausbildung und die Weiterentwicklung der Technik empfohlen [25].
Ein weiterer Interessenschwerpunkt liegt in der Möglichkeit von OP-Simulatoren, die Leistung von Chirurgen objektiv zu bewerten. Paisley et al. [26] haben verschiedene konventionelle Simulationen (Knotenübungen, Darmanastomose, Pelvitrainer) und einen OP-Simulator (Procedicus MIST) bezüglich der Trainingsleistung von unerfahrenen und erfahrenen Chirurgen verglichen. Es wurden überwiegend nur schwache oder keine Korrelationen zwischen der Trainingsleistung und der chirurgischen Erfahrung gefunden. Die Autoren schlussfolgern, dass die Validität derzeit erhältlicher Simulationsmodelle verbessert werden muss, bevor diese in die Leistungsbewertung eingeführt werden können. Eine weitere Arbeit beschreibt die Trainingsergebnisse einer untrainierten Probandengruppe und einer Gruppe mit erfahrenen Chirurgen an einem virtuellen OP-Simulator [27]. Die Experten zeigten bezüglich der Parameter Zeit und Fehler signifikant bessere Leistungen als die Anfängergruppe. Die Autoren schlussfolgerten, dass laparoskopische Fähigkeiten differenziert werden können und dass Simulatoren geeignet sind, objektiv die laparoskopische Leistungsfähigkeit zu messen. Weitere Autoren konnten ähnliche Ergebnisse erheben, allerdings bestehen bislang keine standardisierten Protokolle, so dass hier heterogene Daten vorliegen [28–34].

Derzeitige Probleme

Medizinischer Realismus

Die Entwicklung von OP-Simulatoren schreitet rasch voran. Während vor einigen Jahren überwiegend abstrahierte Übungen angeboten wurden, bieten heutige fortgeschrittene Simulatoren die Darstellung vollständiger Operationen. Diese Geräte vermitteln dem Übenden den Eindruck eines hohen Grads an Realismus. Dem steht gegenüber, dass der tatsächliche Realismus durch die Computerleistung und die zur Verfügung stehende Software prinzipiell begrenzt ist. Eine Simulation stellt immer nur einen Ausschnitt der Realität dar, da die Komplexität der wirklichen Situation mathematisch-physikalisch nicht vollständig erfassbar ist. Für den Flugsimulator ist der Großteil der zugrunde liegenden physikalischen Abläufe bekannt und kann algorithmisch in Form des Simulators umgesetzt werden. Demgegenüber gibt es kaum physikalische Grundlagen zur Simulation von Körpergewebe. Die Interaktion mit verschiedenen Gewebearten ist ausgesprochen komplex und kann derzeit nur ansatzweise simuliert werden. Diese Problematik wird überwiegend empirisch gelöst, d. h., es wird versucht, ein stark vereinfachtes Simulationsmodell zu schaffen, welches in der Interaktion Eigenschaften aufweist, die aus der realen Situation bekannt sind. Die heute zur Verfügung stehende hohe Grafikleistung erlaubt dabei eine nahezu fotorealistische Darstellung dieser Simulationen. In der Folge erscheinen die virtuellen Szenerien visuell ausgesprochen realistisch. Sie erlauben einen hohen Grad an Immersion, also das Eintauchen in die virtuelle Welt und das Gefühl des realen Erlebens. Wenn man an solchen Geräten trainiert, wird jedoch schnell deutlich, dass viele Simulationsteile durchaus realistisch erscheinen, jedoch Schritte erlauben, die in der Realität nicht möglich sind oder sogar gefährlich werden. Hier steht also ein hoher visueller Realismus gegen einen nur begrenzt vorhandenen medizinischen Realismus. Da derzeit keine formalen Kriterien bestehen, um eine Simulation bezüglich des medizinischen Realismus zu bewerten, kann bei unzureichendem Trainingsdesign ein Training falscher Abläufe erfolgen. Die ist unter Umständen sowohl medizinisch als auch forensisch bedenklich. In Zukunft ist daher eine enge Zusammenarbeit der Konstrukteure und Programmierer von Simulatoren mit Chirurgen notwendig. Nur so können Simulatoren geschaffen werden, die medizinisch realistische Abläufe sicherstellen.

Leistungsbewertung

Wie bereits erwähnt, besteht ein zunehmendes Interesse an der Verwendung von OP-Simulatoren zur Leistungsbewertung. Insbesondere in den USA werden bereits verschiedene Testverfahren für Chirurgen eingesetzt [35, 36]. Mehrere Arbeiten kamen zu dem Schluss, dass mit OP-Simulatoren eine objektive Leistungsbewertung erfolgen kann (siehe oben). Allerdings gab es in diesen Studien überwiegend heterogene Studienbedingungen und überwiegend kleine Fallzahlen.
In einer eigenen Arbeit wurde überprüft, ob eine Einschätzung mit standardisierten Übungen möglich ist. Hierzu wurden drei Gruppen gebildet (Studenten ohne laparoskopische Erfahrung, wenig Erfahrene mit unter 10 eigenständigen laparoskopischen Eingriffen und Experten mit mehr als 50 eigenständigen laparoskopischen Eingriffen). Die Gruppen führten über 6 Tage ein identisches standardisiertes Trainingsprogramm unter Erfassung der Parameter Zeit, Fehler und Präzision am VEST-System durch. Aus den vorhandenen Parametern wurde über eine multifaktorielle Hauptkomponentenanalyse ein Gesamt-Score gebildet. Abbildung 3 zeigt die Ergebnisse für den Gesamt-Score der Parameter Zeit und Präzision. Die Lernkurven innerhalb der Gruppen wiesen hierbei den typischen Verlauf von Lernkurven in der MIC auf. Die Leistungsunterschiede waren am ersten und zweiten Tag signifikant ($p < 0{,}05$). Anfänger konnten also von wenig Erfahrenen und von Experten klar differenziert werden. Ab dem dritten Tag bestanden jedoch keine signifikanten Differenzen mehr, am Ende des Trainingsintervalls waren die Leistungen von Anfängern und Experten gleichwertig. Die hier verwendeten Übungen waren Basisübungen zur Instrumenten- und Kameraführung. Die Ergebnisse zeigen, dass diese Basisübungen schnell trainierbar sind, so dass sich bereits nach wenigen Übungen keine Unterschiede in den Gruppen mehr feststellen lassen. Mit dem OP-Simulator ist also eine Erfassung des individuellen Lernfortschritts gut möglich. Eine Leistungsbewertung im Sinne der Differenzierung von Leistungsunterschieden zwischen verschiedenen Personen erscheint anhand der Datenlage und der raschen Trainierbarkeit jedoch kaum möglich. Bevor OP-Simulatoren für die Leistungsbewertung benutzt werden, sind Studien notwendig, die verschiedene Kriterien der

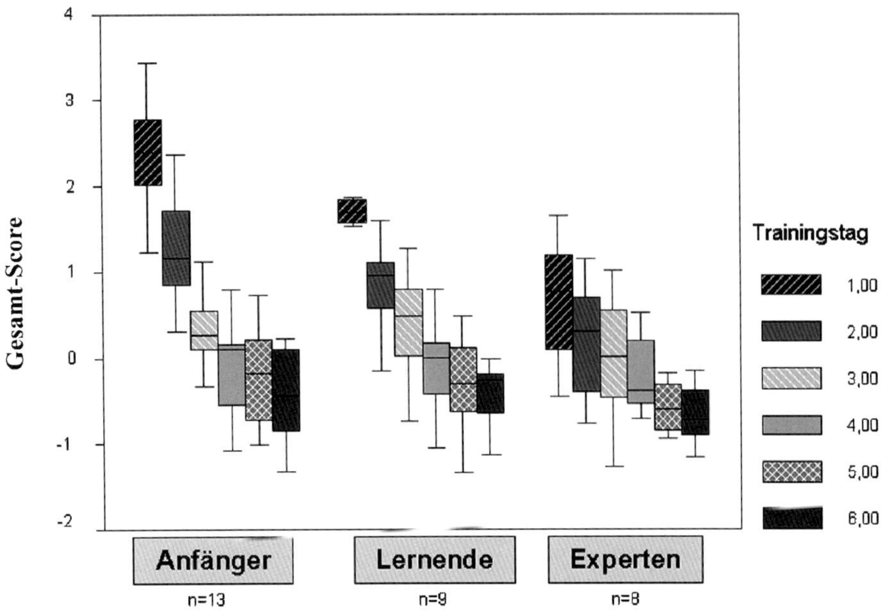

Abb. 3. Leistungsbewertung am virtuellen OP-Simulator. 3 Gruppen (Anfänger ohne laparoskopische Erfahrung, Lernende mit <10 laparoskopischen OPs und Experten mit >50 OPs) haben an 6 aufeinander folgenden Tagen am Simulator trainiert. Aus den Einzelparametern Übungszeit und Präzision wurde ein Gesamt-Score gebildet (niedrigerer Wert gleich bessere Leistung). Es sind typische Lernkurven zu beobachten, die bei den Anfängern stärker ausgeprägt sind. Am Tag 1 sind die Leistungen aller Gruppen untereinander signifikant zu unterscheiden ($p < 0{,}05$). Ab Tag 3 besteht in keinem Gruppenvergleich mehr eine signifikante Differenz, d. h., es können mit dem Simulator keine Leistungsunterschiede mehr erfasst werden.

Leistungsbewertung an größeren Fallzahlen untersuchen und hier signifikante Differenzen belegen können.

Fazit und Ausblick

Die Problematik steiler Lernkurven in der laparoskopischen Chirurgie sowie die zunehmende ökonomische Orientierung der Medizin erfordern neue Trainingsmöglichkeiten. Virtuelle OP-Simulatoren bieten als Ergänzung zum konventionellen Training vollkommen neue Möglichkeiten. Neben laparoskopischen Grundfertigkeiten können insbesondere auch Ausnahmesituationen wie anatomische Varianten oder pathologische Zustände trainiert werden. Dies erlaubt ein gezieltes Training zur Vermeidung von Komplikationen. Eine Vielzahl an wissenschaftlichen Arbeiten konnte die grundlegende Fähigkeit von OP-Simulatoren zum Training laparoskopischer Fertigkeiten zeigen. Der Transfer der am Simulator erworbenen Fähigkeiten in die reale Situation konnte nachgewiesen werden. Die technische Entwicklung schreitet schnell voran und hat dazu geführt, dass heute mehrere leistungsfähige Simulatoren erhältlich sind. Während der medizinische Realismus hoch ist, bestehen derzeit noch Defizite in der medizinischen Korrektheit der Simulationen. Neue Möglichkeiten wurden mit der Erfassung von Trainingsparametern erschlossen. Hiermit kann eine präzise Bewertung des individuellen Trainingsfortschrittes erfolgen. Inwieweit eine Einschätzung im Sinne der Leistungsbewertung möglich ist, muss weiter untersucht werden.

OP-Simulatoren besitzen ein hohes Potential, der chirurgischen Ausbildung neue Aspekte hinzuzufügen. Die Simulatoren befinden sich dabei heute auf einer Stufe, die Flugsimulatoren vor etlichen Jahren erreicht haben. In der Luftfahrt werden Flugsimulatoren bereits seit den 1930er Jahren verwendet. Heutzutage ist es für jeden Piloten selbstverständlich, am Simulator zu trainieren, bevor er ein Flugzeug fliegt. Während Flugsimulatoren viele Jahrzehnte benötigt haben, um ein realistisches Training zu ermöglichen, ist für OP-Simulatoren in Anbetracht der schnellen Entwicklung der Computertechnik eine raschere Entwicklung zu erwarten. OP-Simulatoren bieten bereits heute eine Ergänzung für das Training an und werden in Zukunft einen wichtigen Teil der chirurgischen Ausbildung darstellen. Während die bisherige Entwicklung überwiegend technisch geprägt war, muss die zukünftige Entwicklung von chirurgischer Seite aktiv begleitet werden. Die operative Ausbildung war immer chirurgische Kernkompetenz und muss dies auch beim Simulatortraining bleiben. Nur so kann sichergestellt werden, dass der medizinische Realismus solcher Simulationen gewährleistet ist.

Weitere Informationen über die virtuelle chirurgische Operationssimulation sind über die Sektion für minimalinvasive, Computer- und Telematik-assistierte Chirurgie der Deutschen Gesellschaft für Chirurgie (CTAC) erhältlich (*www.ctac-online.de*).

Literatur

1 Dent TL: The impact of laparoscopic surgery on health care delivery. The learning curve: skills and privileges. J Laparoendosc Surg 1993;3: 247–249.

2 Gallagher AG, Ritter EM, Lederman AB, McClusky DA III, Smith CD: Video-assisted surgery represents more than a loss of three-dimensional vision. Am J Surg 2005;189:76–80.

3 Rosser JC, Rosser LE, Savalgi RS: Skill acquisition and assessment for laparoscopic surgery. Arch Surg 1997;132:200–204.

4 Moore MJ, Bennett CL: The learning curve for laparoscopic cholecystectomy. The Southern Surgeons Club. Am J Surg 1995;170:55–59.

5 Schauer P, Ikramuddin S, Hamad G, Gourash W: The learning curve for laparoscopic Roux-en-Y gastric bypass is 100 cases. Surg Endosc 2003;17: 212–215.

6 Hawasli A, Lloyd LR: Laparoscopic cholecystectomy. The learning curve: report of 50 patients. Am Surg 1991;57:542–544.

7 Soot SJ, Eshraghi N, Farahmand M, Sheppard BC, Deveney CW: Transition from open to laparoscopic fundoplication: the learning curve. Arch Surg 1999;134:278–281.

8 Villegas L, Schneider BE, Callery MP, Jones DB: Laparoscopic skills training. Surg Endosc 2003; 17:1879–1888.

9 Semm K: Pelvi-trainer, a training device in operative pelviscopy for teaching endoscopic ligation and suture technics/in German). Geburtshilfe Frauenheilkd 1986;46:60–62.

10 Park A, Witzke D, Donnelly M: Ongoing deficits in resident training for minimally invasive surgery. J Gastrointest Surg 2002;6:501–507.

11 Way LW, Stewart L, Gantert W, Liu K, Lee CM, Whang K, Hunter JG: Causes and prevention of laparoscopic bile duct injuries: analysis of 252 cases from a human factors and cognitive psychology perspective. Ann Surg 2003;237: 460–469.

12 Mason WT, Strike PW: See one, do one, teach one – is this still how it works? A comparison of the medical and nursing professions in the teaching of practical procedures. Med Teach 2003;25: 664–666.

13 McCloy R, Stone R: Science, medicine, and the future. Virtual reality in surgery. BMJ 2001;323: 912–915.

14 Kuehnapfel UG, Neisius B: CAD-based graphical computer simulation in endoscopic surgery. Endosc Surg Allied Technol 1993;1:181–184.

15 Kuehnapfel UG, Cakmak H, Maass H: Endoscopic surgery training using virtual reality and deformable tissue simulation. Computers and Graphics 2000;24:671–682.

16 Gallagher AG, Satava RM: Virtual reality as a metric for the assessment of laparoscopic psychomotor skills. Learning curves and reliability measures. Surg Endosc 2002;16:1746–1752.

17 Schijven MP, Jakimowicz JJ, Carter FJ: How to select aspirant laparoscopic surgical trainees: establishing concurrent validity comparing Xitact LS500 index performance scores with standardized psychomotor aptitude test battery scores. J Surg Res 2004;121:112–119.

18 Smith CD, Farrell TM, McNatt SS, Metreveli RE: Assessing laparoscopic manipulative skills. Am J Surg 2001;181:547–550.

19 Grantcharov TP, Bardram L, Funch-Jensen P, Rosenberg J: Learning curves and impact of previous operative experience on performance on a virtual reality simulator to test laparoscopic surgical skills. Am J Surg 2003;185:146–149.

20 Adrales GL, Park AE, Chu UB, Witzke DB, Donnelly MB, Hoskins JD, Mastrangelo MJ Jr, Gandsas A: A valid method of laparoscopic simulation training and competence assessment. J Surg Res 2003;114:156–162.

21 Darzi A, Mackay S: Assessment of surgical competence. Qual Health Care 2001;10(suppl 2): ii64–ii69.

22 Torkington J, Smith SG, Rees BI, Darzi A: Skill transfer from virtual reality to a real laparoscopic task. Surg Endosc 2001;15:1076–1079.

23 Lehmann KS, Ritz JP, Maass H, Cakmak HK, Kuehnapfel UG, Germer CT, Bretthauer G, Buhr HJ: A prospective randomized study to test the transfer of basic psychomotor skills from virtual reality to physical reality in a comparable training setting. Ann Surg 2005;241:442–449.

24 Seymour NE, Gallagher AG, Roman SA, O'Brien MK, Bansal VK, Andersen DK, Satava RM: Virtual reality training improves operating room performance: results of a randomized, double-blinded study. Ann Surg 2002;236:458–463.

25 Healy GB: The college should be instrumental in adapting simulators to education. Bull Am Coll Surg 2002;87:10–11.

26 Paisley AM, Baldwin PJ, Paterson-Brown S: Validity of surgical simulation for the assessment of operative skill. Br J Surg 2001;88:1525–1532.

27 McNatt SS, Smith CD: A computer-based laparoscopic skills assessment device differentiates experienced from novice laparoscopic surgeons. Surg Endosc 2001;15:1085–1089.

28 Adrales GL, Chu UB, Witzke DB, Donnelly MB, Hoskins D, Mastrangelo MJ Jr, Gandsas A, Park AE: Evaluating minimally invasive surgery training using low-cost mechanical simulations. Surg Endosc 2003;17:580–585.

29 Gallagher AG, Lederman AB, McGlade K, Satava RM, Smith CD: Discriminative validity of the Minimally Invasive Surgical Trainer in Virtual Reality (MIST-VR) using criteria levels based on expert performance. Surg Endosc 2004;18: 660–665.

30 Grantcharov TP, Bardram L, Jensen PM, Rosenberg J: Virtual reality-computer simulation as a tool for training and evaluating skills in laparoscopic surgery (In Swedish). Ugeskr Laeger 2001;163:3651–3653.

31 Grantcharov TP, Bardram L, Funch-Jensen P, Rosenberg J: Assessment of technical surgical skills. Eur J Surg 2002;168:139–144.

32 Wilhelm DM, Ogan K, Roehrborn CG, Cadeddu JA, Pearle MS: Assessment of basic endoscopic performance using a virtual reality simulator. J Am Coll Surg 2002;195:675–681.

33 Wilson MS, Middlebrook A, Sutton C, Stone R, McCloy RF: MIST VR: a virtual reality trainer for laparoscopic surgery assesses performance. Ann R Coll Surg Engl 1997;79:403–404.

34 Taffinder N, Sutton C, Fishwick RJ, McManus IC, Darzi A: Validation of virtual reality to teach and assess psychomotor skills in laparoscopic surgery: results from randomised controlled studies using the MIST VR laparoscopic simulator. Stud Health Technol Inform 1998;50:124–130.

35 Goff B, Mandel L, Lentz G, Vanblaricom A, Oelschlager AM, Lee D, Galakatos A, Davies M, Nielsen P: Assessment of resident surgical skills: is testing feasible? Am J Obstet Gynecol 2005;192:1331–1338.

36 Martin JA, Regehr G, Reznick R, MacRae H, Murnaghan J, Hutchison C, Brown M: Objective structured assessment of technical skill (OSATS) for surgical residents. Br J Surg 1997;84:273–278.

Tab. 1. Konventionelle Laparoskopie vs. roboterassistierte Chirurgie

	Konventionelle Chirurgie	Roboterassistierte Chirurgie
Bewegungsfreiheit	4 Freiheitsgrade	6 Freiheitsgrade
Bilddarstellung auf dem Monitor	zweidimensional	dreidimensional
Natürliche Hand-Auge-Koordination	nicht gegeben	gegeben
Taktiles Vermögen	reduziert	nicht vorhanden
Skalierbarkeit der Bewegung	nicht vorhanden	vorhanden
Inverse Bewegungen von Hand und Instrument	notwendig, aufgrund der Fixierung am Trokarpunkt	nicht notwendig
Ergonomie	beschränkt durch ungünstige Arbeitsposition	ergonomisch günstige Arbeitsposition
Kameraplattform	instabil, aufgrund der vom Operateur getrennten Kameraführung	stabile, vom Operateur gesteuerte Kameraführung

zeralchirurgischer Operationen ist mittlerweile laparoskopisch machbar. Somit stellt sich heute weniger die Frage, ob ein Eingriff in minimal invasiver Technik durchgeführt werden kann, sondern vielmehr ob es vorteilhaft erscheint und bei welchen Patienten.

Roboter bzw. Telemanipulatoren gehören zu den modernsten Entwicklungen in der minimal invasiven Chirurgie. Der Begriff «Roboter» impliziert eigentlich die Durchführung autonomer Bewegungen. Es werden jedoch erst genau definierte Aufgaben in ein Computerprogramm eingegeben, die der Roboter dann selbständig und ermüdungsfrei in gleich bleibender Qualität ausführt.

Unter so genannter roboterassistierter Chirurgie (engl. robotic surgery) versteht man heute allerdings Operationen unter Verwendung eines Telemanipulatorsystems. Diese Systeme führen keine autonomen Bewegungen durch, sondern übertragen die vom Chirurgen an einer Konsole vorgegebenen Bewegungen nach dem «Master-slave»-Prinzip in das Operationsgebiet. Ein Telemanipulator ist damit ein Instrument in der Hand des Chirurgen.

Telemanipulatoren wurden ursprünglich entwickelt, um endoskopische Gefäßanastomosen in der Herzchirurgie ohne Thorakotomie durchführen zu können. Durch die enorme Beweglichkeit der nahezu mikrochirurgischen Instrumente und durch die exzellente dreidimensionale Visualisierung des Operationsfelds erweitern sie heute generell die technischen Möglichkeiten der endoskopischen Chirurgie (Tab. 1).

Das erste Telemanipulatorsystem für die Chirurgie wurde ursprünglich von der Arbeitsgruppe Buess an der Universität Tübingen zusammen mit dem Forschungszentrum Karlsruhe entwickelt [1, 2]. Allerdings erreichten letztendlich nur zwei amerikanische Systeme eine Zulassung für den klinischen Einsatz. Neben so genannten Assistenzsystemen, die nur Teilfunktionen (z. B. Kameraführung) eines Telemanipulators übernehmen, hat sich nur noch ein einziges voll funktionsfähiges Telemanipulatorsystem (*da Vinci*®; Intuitive Surgical, Sunnyvale, CA, USA) in der klinischen Routine durchsetzen können. Im Folgenden werden diese Systeme beschrieben sowie die evidenzbasierte Darstellung der bisher publizierten Ergebnisse in der Viszeralchirurgie gegeben.

Systeme der roboterassistierten Chirurgie

Assistenzsysteme

Diese Systeme ermöglichen eine überwiegend sprachgesteuerte Kameraführung durch den operierenden Chirurgen selbst oder durch einen Assistenten. Auf diesem Konzept der so genannten ruhigen Kameraplattform basieren die beiden klinisch relevanten Systeme.

AESOP®

Das Akronym AESOP® (Computer Motion, Santa Barbara, CA, USA) steht für Automated Endoscopic System for Optimal Positioning. Das primär als Roboterarm für das amerikanische Weltraumprogramm der NASA entwickelte System ersetzt durch die stimmkontrollierte Steuerung den Kamera führenden Assistenten [3]. Neue Modifikationen des Systems ermöglichen eine Steuerung ohne manuelle oder akustische Befehle. Das System folgt automatisch einem an der Spitze farbkodierten laparoskopischen Instrument [4]. Die Erweiterung dieses Systems (Hermes®, Computer Motion) beinhaltet eine zentrale Steuerungseinheit, die weitere Funktionen (z. B. Gerätesteuerung, Zugriff auf Datenbank) kontrolliert [5].

Endoassist®

Der wesentliche Unterschied zum AESOP-System besteht beim Endoassist® (Armstrong Healthcare Ltd., High Wycombe, UK) in der Steuerung der Kamera durch die Kopfbewegungen des Operateurs. Der Chirurg trägt einen Infrarotstrahler vor der Stirn, mit dem er durch Zielen auf gewünschte Strukturen auf dem Videomonitor die Position der Kamera steuert [6].

Telemanipulatorsysteme

da Vinci®

Das Telemanipulatorsystem da Vinci setzt sich aus einer Steuerungskonsole und dem eigentlichen Roboter mit Kamera- und Instrumentenarmen sowie einer technischen Steuereinheit (3D-Kamera, Insufflator, Lichtquelle, Monitor usw.) zusammen (Abb. 1) [7–9]. Der Chirurg sitzt in ergonomisch vorteilhafter Position an der Konsole und bewegt mit seinen Händen «Master»-Arme, wel-

Chirurgische Gastroenterologie Interdisziplinär

Übersichtsarbeit · Review Article

Chir Gastroenterol 2005;21(suppl 2):29–37
DOI: 10.1159/000089345

Robotik in der Viszeralchirurgie

Carsten N. Gutt Michael A. Reiter Jörg Köninger Arash Choudhry Arianeb Mehrabi
Markus W. Büchler

Abteilung für Allgemein-, Viszeral- und Unfallchirurgie, Universitätsklinikum Heidelberg, Deutschland

Schlüsselwörter
Roboterassistierte Chirurgie · Roboter · Telemanipulator · Laparoskopie

Zusammenfassung
Roboter bzw. Telemanipulatoren gehören zu den modernsten Systemen in der minimal invasiven Chirurgie. Telemanipulatoren wurden ursprünglich entwickelt, um aufwendige Anastomosetechniken, besonders in der Herzchirurgie, endoskopisch durchführen zu können. Durch die enorme Beweglichkeit der Instrumente und die exzellente dreidimensionale Visualisierung des Operationsfelds erweitern sie jedoch auch die technischen Möglichkeiten der laparoskopischen Chirurgie. In der Viszeralchirurgie werden ausschließlich so genannte Telemanipulatoren verwendet, die keine autonomen Bewegungen durchführen, sondern nur die vorgegebene Bewegung des Chirurgen übertragen. Nur ein einziges Telemanipulatorsystem (da Vinci®, Intuitive Surgical, Sunnyvale, CA, USA) hat sich weltweit in der klinischen Routine durchsetzen können. An einzelnen Zentren werden mit dieser Technik neben laparoskopischen heute auch thorakoskopische bzw. mediastinoskopische Eingriffe von unterschiedlichen chirurgischen Disziplinen durchgeführt. Diese Form der so genannten roboterassistierten Chirurgie erscheint für eine Reihe endoskopischer Eingriffe sicher durchführbar. Allerdings konnte in der Viszeralchirurgie bei immer noch sehr dürftiger Studienlage für die Patienten bisher kein signifikanter Vorteil im Vergleich zur konventionellen laparoskopischen Technik gezeigt werden.

Key Words
Robot-assisted surgery · Robot · Robotics · Telemanipulator · Laparoscopy

Summary
Robotics in Abdominal Surgery
Robotic and telemanipulation systems rank among the latest developments in minimally invasive surgery. Originally, telemanipulators were designed to meet the needs of minimally invasive anastomosis techniques, mainly in heart surgery. The excellent three-dimensional visualization of the operating system and the enormous maneuverability of the instruments extend the technical possibilities in the field of laparoscopic surgery as well. In visceral surgery, only so-called telemanipulators are used. Telemanipulators do not move autonomously, but only carry out those motions made by the surgeon. To date, only one telemanipulation system is used in clinical practice, the da Vinci® system from Intuitive Surgical (Sunnyvale, CA, USA). In addition to using telemanipulators in laparoscopic surgery, at a few centers surgeons from various disciplines are employing telemanipulators to perform thoracoscopic and mediastinoscopic operations as well. Robot-assisted surgery appears to be safe for use in a number of endoscopic procedures. However, studies carried out thus far on the application of these techniques in visceral surgery have not yet shown any significant advantages for the patient, compared to conventional laparoscopic methods.

Einleitung

Die Einführung laparoskopischer oder minimal invasiver Techniken hat in den letzten Jahren alle chirurgischen Fächer beeinflusst. Nicht nur ein für den Patienten vorteilhaftes kosmetisches Ergebnis, sondern auch eine unter Umständen verkürzte Krankenhausverweildauer haben zu dieser Entwicklung beigetragen. Seit Beginn der 1990er Jahre haben Chirurgen die Grenzen des Machbaren in der minimal invasiven Chirurgie immer weiter verschoben, und ein Großteil auch technisch anspruchsvoller vis-

KARGER
Fax +49 761 452 07 14
E-mail Information@Karger.de
www.karger.com

Accessible online at:
www.karger.com/cga

Prof. Dr. med. Carsten N. Gutt
Abteilung für Allgemein-, Viszeral- und Unfallchirurgie
Universitätsklinikum Heidelberg
Im Neuenheimer Feld 110, 69120 Heidelberg, Deutschland
Tel. +49 62 21 56-3 63 34, Fax-86 45
E-mail carsten_gutt@med.uni-heidelberg.de

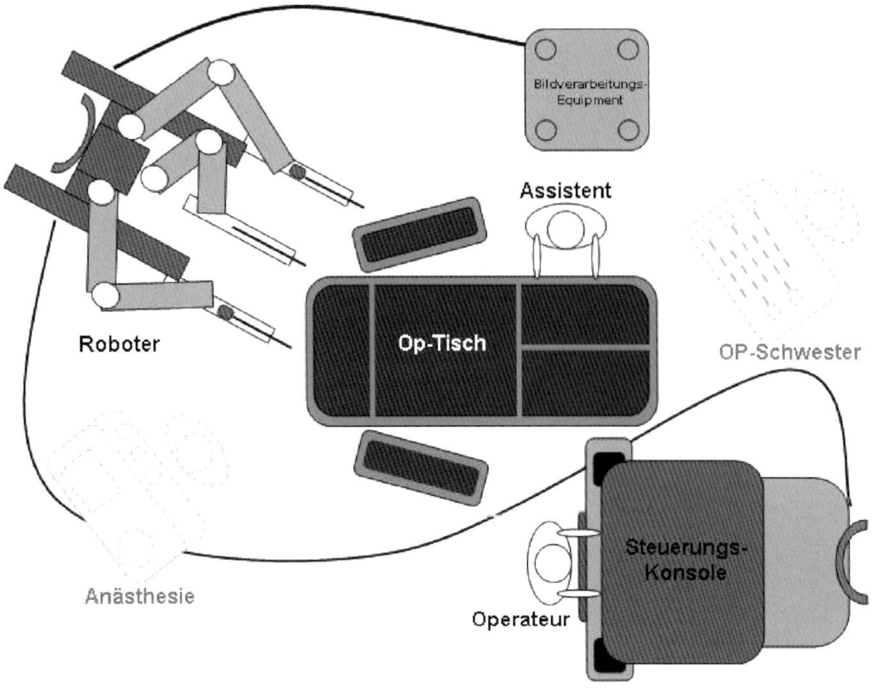

Abb. 1. Schematische Darstellung eines Telemanipulatorsystems, bestehend aus Robotereinheit und Steuerungskonsole. Ein Assistent am Operationstisch positioniert die Roboterarme und wechselt Instrumente.

Abb. 2. Der Operateur steuert den Telemanipulator an der Konsole sitzend abseits des Patienten. Dabei blickt er in ein Binokular, das ihm ein dreidimensionales Bild des Operationssitus vermittelt.

Abb. 3. Die Robotereinheit besteht aus 3–4 mit sterilen Abdeckfolien überzogenen Roboterarmen. Der zentrale Arm hält und führt das Laparoskop, während die anderen Arme jeweils ein Instrument aufnehmen können.

che als Verbindung zwischen Mensch und Maschine fungieren. (Abb. 2). Dabei blickt er durch ein Binokular, das ihm ein echtes dreidimensionales Bild des Operationsfelds vermittelt. Der eigentliche Roboter besitzt 3 bzw. 4 Arme, die in allen Ebenen frei bewegt werden können. Der zentrale Kameraarm hält und führt das Laparoskop, während die anderen Arme jeweils ein Instrument aufnehmen können. An den Enden der Roboterarme werden Trokare befestigt, durch die Instrumente in das Abdomen des Patienten eingeführt werden können (Abb. 3). Die Instrumente verfügen über ein endnahes Gelenk, das so genannte EndoWrist™ (Intuitive Surgical), das insgesamt sieben Bewegungsfreiheitsgrade ermöglicht (Abb. 4). So können die Bewegungen der Hand von der «Master»-Konsole erfasst und dann telemetrisch an die Instrumentenarme und Instrumentenspitzen weitergegeben werden (Abb. 5). Das System besitzt eine verstellbare Bewegungsskalierung, die Handbewegungen in ultrafeine Manöver der Instrumentenspitze übersetzen kann, sowie einen Tremorfilter. Über ein Fußpedal kann der Operateur zwischen der Steuerung der Instrumentenarme und des Kameraarms wählen.

Das hoch auflösende 3D-Kamerasystem besteht aus einer Optik mit zwei Linsensystemen, einer doppelten 3-Chip-Kamera und zwei getrennten Steuereinheiten.

Für die Instrumente besteht eine Verwendungsbegrenzung auf – je nach Instrument – 10–20 Einsätze. Diese werden über einen im Instrument gelegenen Chip genau registriert. Der Chip sperrt nach Ablauf der verfügbaren Einsätze das Instrument. Das gesamte System kostet in seiner Anschaffung zirka 1 Mio. EUR. Die Servicekosten für ein Jahr betragen zirka 100 000,– EUR.

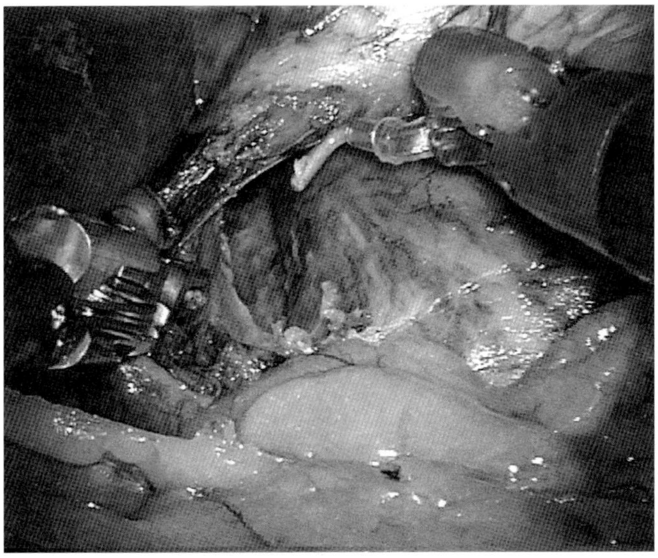

Abb. 4. Präparation des distalen Ösophagus im Rahmen einer total transhiatalen Ösophagektomie. Gemeinsam mit den Gelenken der Roboterarme ermöglichen die endnahen Gelenke der Instrumente Bewegungen in sieben Freiheitsgraden.

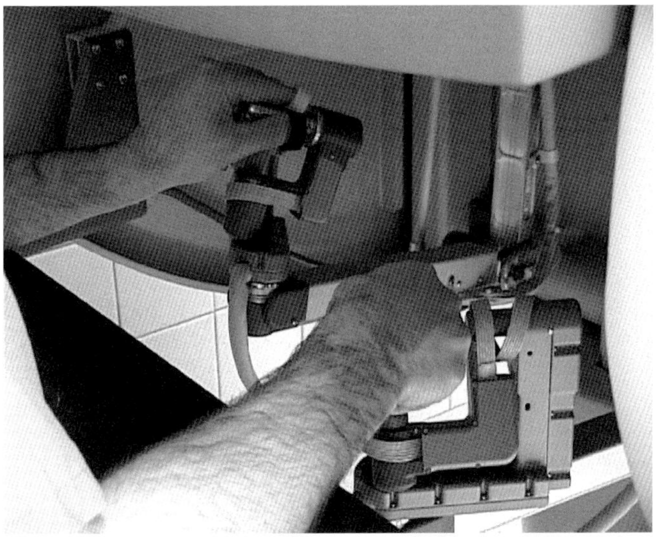

Abb. 5. Der Operateur führt mit seinen Händen und Fingern die «Master»-Arme der Steuerungskonsole, deren Bewegungen dann auf die Instrumente übertragen werden.

Ergebnisse

Die Anzahl roboterassistierter Operationen (Da-Vinci-System) stieg weltweit von etwa 1500 im Jahre 2000 auf zirka 20 000 im Jahr 2004. Über 300 Da-Vinci-Systeme befinden sich derzeit im klinischen Einsatz; die meisten davon in den USA.

Unter Berücksichtigung aller in PubMed zitierten Publikationen über Telemanipulatoren in der Viszeralchirurgie zeigt sich, dass es sich bei der Mehrzahl der veröffentlichen Daten um Machbarkeitsstudien mit kleinen bis mittelgroßen Fallserien handelt. Klinische Studien, die roboterassistierte Operationen mit konventionellen laparoskopischen Techniken vergleichen, sind selten. Im Folgenden wird die aktuelle Datenlage dargestellt.

Machbarkeitsstudien

Die meisten Studien zur Machbarkeit beschäftigten sich mit Fragen der Trokarpositionierung, technischen Problemen sowie intra- und postoperativen Komplikationen, Blutverlust, Konversionsrate, Krankenhausaufenthaltsdauer und dem funktionellen Ergebnis der Operation. Als Hauptkriterium zur Durchführbarkeit der jeweiligen Operation wurde die Dauer der Prozedur herangezogen. Die Vergleichbarkeit der gewonnenen Daten zwischen den einzelnen veröffentlichten Studien stellt sich allerdings aufgrund der mangelnden Einheitlichkeit von Auswertung und Dokumentation als schwierig dar. Im Folgenden werden Ergebnisse der häufigsten roboterassistierten Operationen dargestellt.

Cholezystektomie

Bei den veröffentlichten Studien handelt es sich um Fallserien mit bis zu 66 Patienten. Lebensbedrohliche Situationen wurden nicht berichtet. Die intraoperativen Komplikationen entsprachen den üblichen Erfahrungen bei laparoskopischer Cholezystektomie. Die Operationszeit betrug 62–152 min, einschließlich Rüstzeit für das System (Tab. 2). Eine Analyse der Langzeitergebnisse nach roboterassistierter Cholezystektomie ergab exzellente, mit den Ergebnissen der konventionellen laparoskopischen Methode vergleichbare Daten [20].

Fundoplicatio

Bei insgesamt geringer intra- und postoperativer Komplikationsrate ohne eingriffsassoziierte Mortalität konnte die Sicherheit dieser Technik gezeigt werden. Obwohl zumeist eine Fundoplicatio nach Nissen durchgeführt wurde, ist ein Vergleich der jeweiligen Daten bei unterschiedlicher Technik schwierig. Die intraoperativen Komplikationen, wie Magenperforation und Blutungen [10, 11] entsprechen denen bei konventioneller laparoskopischer Technik. Einige Autoren berichten von vereinzelten Konversionen zu konventioneller oder offener Technik (Tab. 3).

Kolorektale Resektionen

Lediglich vier Fallserien (Tab. 4), in denen 24 kolorektale Eingriffe zusammengefasst werden, wurden veröffentlicht. Allerdings machen die mangelnde Uniformität der festgehaltenen Variablen und der unterschiedliche Einsatz des Telemanipulatorsystems eine systematische Auswertung der Daten annähernd unmöglich. So wurden verschiedenste Schritte unterschiedlicher Operationen bei malignen und benignen Erkrankungen durchgeführt (Hemikolektomie, Ileozökalresektion, Sigmoidektomie, Hartmann-Operation, anteriore Rektumresektion, totale mesorektale Exzision). Aufgrund der Notwendigkeit, bei diesen Eingriffen in mehreren Quadranten des Abdomens zu operieren wurden nur sehr wenige Eingriffe vollständig roboterassistiert durchgeführt. Die Notwendigkeit von Positionswechseln der Trokare und des Telemanipulators führt dabei zu einer verlängerten Operationszeit von bis zu 340 min. Insgesamt ist die Euphorie der Autoren bezüglich des Einsatzes bei Eingriffen am Kolon gering. Anders stellt sich die Situation im kleinen Becken dar, in dessen räumlicher Begrenztheit

Tab. 2. Machbarkeitsstudien zur roboterassistierten Cholezystektomie

Referenz	Patientenanzahl	Operationsdauer, min*	Vorbereitungszeit, min*	Intraoperative Komplikationen, %	Konversionen, %	Morbidität/Mortalität,%	Krankenhausverweildauer, Tage
10	66	85 (20–210)	–	0	2	2	2
11	48	70 (25–120)	– (20–75)	2	–	–	2
12	35	–	–	3	3	0	
13	20	62 (48–72)	17 (15–19)	–	–	–	–
14	20	152 (144–160)	–	0	0	0	–
15	36	–	–	–	–	0	–
16	6	118 (80–145)	31 (16–47)	–	–	–	–
17	5	95 (105–150)	23 (15–55)	0	0	0	5
18	20	–	31	–	1	0	2,2
19	19	82,3 (64–100)	28,1	0	3	–	–

* Durchschnittswert.
Runde Klammern = Datenbereich; – = keine Angaben.

Tab. 3. Machbarkeitsstudien zur roboterassistierten Fundoplicatio

Referenz	Patientenanzahl	Operationsdauer, min*	Intraoperative Komplikationen, %	Postoperative Komplikationen, %	Konversionen, %	Mortalität, %	Krankenhausverweildauer, Tage*
11	39	90 (54–270)	5	0	3	0	2 (1–4)
13	14	121 (104–156)	–	–	3	–	–
21	11	146 (105–180)	0	0	0	0	–
22	25	–	–	–	0	–	–
23	9	173 (120–235)	0	0	–	0	–
24	13	97 (77–126)	0	–	0	0	3,2 (2–7)
10	41	110 (40–300)	2	2	5	0	4 (2–8)
25	22	140 (88–271)	0	0	–	0	–
15	69	–	–	–	–	0	–

* Durchschnittswert.
Runde Klammern = Datenbereich; – = keine Angaben.

die Durchführung komplexerer Tätigkeiten durch das Telemanipulatorsystem vereinfacht werden kann.

Andere Eingriffe
Verschiedene andere viszeralchirurgische Eingriffe wurden in den letzten Jahren erfolgreich roboterassistiert durchgeführt. Da diese allerdings nur in Fallbeschreibungen oder sehr kleinen Fallserien veröffentlicht wurden, ist eine wissenschaftliche Analyse kaum möglich. Die Berichte bestätigen, dass im Prinzip fast jede Operation mit Hilfe eines Telemanipulators durchgeführt werden kann, falls dies gewünscht ist. Zu den bereits erfolgreich durchgeführten Operationen gehören Gastrektomie [28], Ösophagusresektion [29], Pankreatektomie und Adrenalektomie [30].

Vergleichende Studien (Tab. 5)

Aufgaben und Übungen am Phantom
Standardisierte Aufgaben – Platzierung eines Rings in einen Behälter, das Ergreifen eines Fadens, die Erstellung eines chirurgi-

Tab. 4. Operationsdauer verschiedener roboterassistierter Eingriffe

Referenz	Operationsdauer, min*					
	Ileozäkalresektion	rechte Hemikolektomie	linke Hemikolektomie	Sigmoidektomie	anteriore Rektumresektion	abdominoperineale Resektion
26	–	242	–	379	–	–
16	335	–	265	180	–	–
10	150	172	240	–	270	180
27	–	–	–	330	–	450

* Durchschnittswert

Tab. 5. Vergleichende Studien roboterassistierte vs. konventionelle Laparoskopie

Referenz	Studientyp	Ergebnis (für Roboterassistenz)
Experimentelle Studien		
31	Laparoskopische	schneller und präziser
32	Standardaufgaben	gleiche Präzision, aber langsamer für leichte Aufgaben
		höhere Präzision und gleiche Zeit für anspruchsvolle Aufgaben
33		höhere Präzision
Klinische Studien		
34	Fundoplicatio	längere Operationsdauer, möglicherweise bessere Ergebnisse
35		gleiche Operationsdauer
10		gleiche Operationsdauer, besseres unmittelbares Ergebnis
24		längere Operationsdauer, höhere Kosten, gleiches Ergebnis
10	Cholezystektomie	gleiche Operationsdauer, gleiches unmittelbares Ergebnis
36		leicht verlängerte Operationsdauer
37	Kolektomie	längere Operationsdauer, gleiches Ergebnis
38		gleiche Operationsdauer, intra- und postoperative Ergebnisse
39	Adrenalektomie	längere Operationsdauer, gleiches unmittelbares Ergebnis
40		längere Operationsdauer, schlechtere Ergebnisse
41	Spender-Nephrektomie	gleiche Operationsdauer, gleiches unmittelbares Ergebnis

schen Knotens oder einer Naht – wurden von geübten und ungeübten Probanden durchgeführt und deren Ergebnisse ausgewertet [31]. Ungeübte Probanden erfüllten die Aufgaben mit Hilfe des Telemanipulators signifikant schneller als mit konventionellen laparoskopischen Instrumenten. In einer weiteren Studie zeigte sich, dass Nähen und Knoten mit feinem Nahtmaterial präziser ist [32]. Eine weitere Untersuchung zeigte, dass die Präzision laparoskopischer Interventionen durch Anwendung eines Telemanipulators gegenüber konventioneller Laparoskopie signifikant verbessert werden kann. Die Autoren führten dies vor allem auf die variable Bewegungsskalierung des Telemanipulators zurück [33].

Cholezystektomie
Ein retrospektiver Vergleich zwischen roboterassistierter und konventionell laparoskopischer Cholezystektomie [10] konnte zeigen, dass die Operationsdauer mit Roboterassistenz nicht signifikant erhöht ist (85 vs. 65 min). Während die Komplikationsrate für die konventionelle Technik höher lag (4 vs. 2%), konnte für die Krankenhausverweildauer (2 vs. 3 Tage) und die Morbiditätsrate (2 vs. 2%) kein signifikanter Unterschied zwischen der roboterassistierten und der konventionell laparoskopischen Technik festgestellt werden. Eine prospektive Analyse der Operationszeit von roboterassistierten und konventionell laparoskopischen Cholezystektomien ergab einen erhöhten Zeitbedarf der roboterasssistierten Technik in einzelnen Operationsphasen, vor allem präoperativ [19]. Für die Gesamtoperationsdauer konnte allerdings kein signifikanter Unterschied festgestellt werden.

Fundoplicatio
Ein retrospektiver Vergleich der roboterassistierten und konventionell laparoskopischen Technik [10] ließ bei der Fundoplicatio keine signifikanten Unterschiede bezüglich Operationsdauer (110 (Bereich 40–300) vs. 120 (60–280) min) und Konversionsrate (5 vs. 6%) erkennen. Allerdings konnte eine kürzere Krankenhausverweildauer und eine geringere postoperative Morbidität für die roboterassistierte Vorgehensweise gezeigt werden.
Eine prospektive, nichtrandomisierte Studie zeigt eine signifikant verlängerte Operationsdauer für die roboterassistierte Fundoplicatio (141 vs. 97 min) [34]. Postoperative Komplikationen traten in beiden Gruppen gleich häufig auf. Allerdings benötigte in der roboterassistierten Gruppe kein Patient eine postoperative antisekretorische Therapie, während in der konventionell laparoskopischen Gruppe 6 von 20 Patienten diese wieder benötigten. Eine Beurteilung dieser Ergebnisse in Hinblick auf die Effektivität der beiden Methoden ist allerdings nicht zulässig, da die Autoren keine Angaben über die präoperative Schwere der Refluxerkrankung,

die das individuelle Ergebnis in hohem Maße beeinflusst, gemacht haben.
Zu vergleichbaren Ergebnissen kommt eine weitere prospektive, nichtrandomisierte Studie [24]. Außer einer verlängerten Operationsdauer von durchschnittlich 97,1 (77–126) min (konventionell laparoskopisch 82,5 (65–100) min) für das roboterassistierte Vorgehen konnten keine signifikanten Unterschiede festgestellt werden. In keiner der beiden Gruppen kam es zu Komplikationen, und die Krankenhausverweildauer betrug in beiden Gruppen durchschnittlich 3,2 (2–7) Tage.
Die einzige prospektive, randomisierte Studie, welche die konventionelle mit der roboterunterstützten Fundoplicatio vergleicht, zeigte eine signifikant erhöhte Operationsdauer (52 vs. 76 min) für die roboterassistierte Technik, wobei Morbidität (9 vs. 10%), intraoperativer Blutverlust (10 ml in beiden Gruppen) und Krankenhausverweildauer (1 Tag) vergleichbar sind [35].

Kolorektale Resektionen
Eine veröffentlichte Kohortenstudie verglich zwei roboterunterstützte rechte Hemikolektomien, drei Sigmoidektomien und eine Rektopexie mit entsprechenden konventionell laparoskopisch operierten Kontrollen [37]. Dabei wurde der Telemanipulator ausschließlich zur Mobilisierung des Kolons verwendet. Die Operationsdauer war für alle Operationen in der roboterassistierten Gruppe verlängert (Hemikolektomie 270 vs. 138 min; Sigmoidektomie 200 vs. 140 min; Rektopexie 180 vs. 165 min). Für weitere Parameter wie Blutverlust, Anastomosierung und Inzisionslänge zur Bergung des Resektats konnten keine Unterschiede zwischen den Gruppen festgestellt werden.
Im Rahmen einer prospektiven Studie wurden 53 roboterassistierte Operationen mit einer entsprechenden Gruppe konventionell laparoskopisch durchgeführter Operationen verglichen [38]. Als Grunderkrankungen wurden maligne wie benigne Läsionen aller Kolon- und Rektumabschnitte beschrieben. Somit wurden rechte und linke Hemikolektomien, Rektum- und Hartmann-Resektionen sowie andere Eingriffe am Kolon durchgeführt. In drei Fällen der konventionell laparoskopischen Gruppe musste zu offener Laparotomie konvertiert werden. In der Robotergruppe waren zwei Konversionen zu konventioneller Laparoskopie aufgrund einer Darmdilatation und anästhesiologischer Probleme nötig. Die Operationsdauer der roboterassistierten Operation war mit 240 (180–300) min gegenüber der konventionellen Technik mit 222 (150–300) min verlängert, wobei dieser Unterschied statistisch jedoch nicht signifikant war. In beiden Gruppen kam es zu keinen weiteren intraoperativen Komplikationen. Der Blutverlust war während der roboterassistierten Operation etwas geringer (80 vs. 102 ml). Aufgrund postoperativer Komplikationen wurden 2 Patienten, die zuvor roboterassistiert operiert worden waren, reoperiert. Dies war in der konventionell laparoskopischen Gruppe nur bei 1 Patienten nötig. Im Rahmen der postoperativen Ergebnisse wie Krankenhausverweildauer (10 Tage), Wiederaufnahme der Darmaktivität (4 Tage) und Rückkehr zur oralen Nahrungsaufnahme (3 Tage) gab es keine Unterschiede. Die Autoren kamen zu dem Schluss, dass roboterassistierte und konventionell laparoskopische Kolonchirurgie gleichwertig sind.

Adrenalektomie
Eine prospektive Vergleichsstudie [39] zeigte für die roboterassistierte einseitige Adrenalektomie eine im Gegensatz zur konventionellen laparoskopischen Technik verlängerte Operationsdauer von durchschnittlich 111 vs. 83 min, wobei sich die Operationszeiten mit zunehmender Erfahrung mit dem System anglichen. Bezüglich der weiteren Parameter wie Konversionsrate (7%), Morbidität (21%) und Krankenhausverweildauer zeigten beide Techniken ähnliche Ergebnisse. Somit konnte kein Vorteil für den roboterassistierten Eingriff gefunden werden.
Die einzige prospektiv randomisierte Studie kommt zu dem Schluss, dass die konventionelle laparoskopische Adrenalektomie der roboterassistierten Technik überlegen ist [40]. Die Operationsdauer der roboterassistierten Operationen war signifikant länger als bei konventionell laparoskopischer Vorgehensweise (169 vs. 115,3 min). In 40% der roboterassistierten Operationen musste zur konventionellen laparoskopischen Technik konvertiert werden. Ob diese schlechten Ergebnisse auf die Lernkurve zurückzuführen sind, lässt sich aus den publizierten Daten nicht entnehmen.

Spender-Nephrektomie
Ein Vergleich zwischen roboterassistierter und konventioneller laparoskopischer Spender-Nephrektomie zeigt eine nichtsignifikante Verlängerung der Operationsdauer [41]. Auch andere Parameter wie durchschnittlicher Blutverlust, intraoperative Komplikationen, Ischämiezeit und verzögerte Funktion des Spenderorgans zeigten keine signifikanten Unterschiede. Die roboterassistierte Technik ermöglichte allerdings eine längere durchschnittliche Gefäßlänge der entnommenen Spenderorgane.

Diskussion

Telemanipulatoren stellen die modernste Entwicklung in der minimal invasiven Chirurgie dar. Diese Systeme führen keine autonomen Bewegungen durch, sie übertragen die vom Chirurgen an einer Konsole vorgegebenen Bewegungen in das Operationsgebiet.
Obwohl die ersten experimentellen Operationen mit einem in Deutschland entwickelten Telemanipulator durchgeführt wurden, hat sich nur ein einziges amerikanisches System (da Vinci) in der klinischen Routine weltweit durchsetzen können. Ursprünglich wurde dieses System für die Durchführung endoskopischer Gefäßanastomosen in der Herzchirurgie entwickelt. Bis heute ist aber auch eine Vielzahl viszeralchirurgischer Eingriffe laparoskopisch mit diesem System durchgeführt worden.
Im Wesentlichen besteht das System aus einer Steuerungskonsole und den Kamera- und Instrumentenarmen. Subjektiv von entscheidendem Vorteil ist die hoch auflösende 3D-Visualisierung und die enorme Beweglichkeit der Instrumentenspitzen. Der entscheidende Nachteil der konventionellen Laparoskopie, die Bewegungsein-

schränkung des Operateurs, weicht bei der Anwendung des Da-Vinci-Systems dem Gefühl des freien Operierens. Bereits nach kurzer Zeit erhält der Operateur den Eindruck, dass er sich im Patienten befindet und dass die Instrumente seine eigenen Hände sind. Das nahezu vollständige Fehlen der taktilen Sensibilität scheint nach entsprechender Einarbeitung in diese Technik nicht sonderlich nachteilig.

Durch das «Master-slave»-Prinzip wird es erstmalig möglich, dass sich der Operateur abseits des Patienten befindet, ein Umstand, der zunächst banal erscheint, letztendlich jedoch den ersten Schritt hin zu einer völlig neuen multifunktionalen Arbeitsumgebung für den Chirurgen darstellt. So wird es in Zukunft möglich sein, dem Operateur über das Sichtfeld des Telemanipulators präoperative Daten (z. B. CT oder MRT) einzublenden. Zu weiteren möglichen Schritten der Erweiterung des Systems gehört die Echtzeitnavigation der Instrumentenspitzen im anatomischen Umfeld bis hin zur Vision einer computerbasierten Chirurgie, in der vom System Operationspfade und so genannte Korridore für jeden einzelnen Operationsschritt definiert und kontrolliert werden. Wenn auch die völlig autonome Durchführung operativer Schritte in der Viszeralchirurgie weiterhin als utopisch einzustufen ist, so sind definierte autonome Bewegungssegmente der Instrumentenspitzen (z. B. Knoten) durchaus vorstellbar. Ebenso erscheint die Umsetzung taktiler Sensibilität für ein solches System durchaus realistisch.

Vom rein technischen Aspekt her gesehen ist das Da-Vinci-System der erste funktionsfähige Telemanipulator, der jedoch bei weitem nicht die heutigen technischen Möglichkeiten widerspiegelt. Das Gerät erscheint insgesamt sehr groß und unhandlich. Die Vorbereitung des Systems ist anfänglich langwierig, kann jedoch durch intensive Personalschulung und Standardisierung erheblich verkürzt werden. Ein schneller unkomplizierter Wechsel der Operationsfelder bei Eingriffen im gesamten Abdomen ist aber bislang nicht möglich. Somit liegt die Stärke des Systems in der feinen Präparation bzw. Rekonstruktion in einem lokal umschriebenen, ansonsten aber schlecht zugänglichen Operationsfeld (z. B. unteres Mediastinum, kleines Becken). Bei ausgedehnteren Eingriffen erscheint die Kombination der konventionellen laparoskopischen Chirurgie mit einer definierten Sequenz roboterassistierter Chirurgie sinnvoll. In Deutschland bestehen bereits Konzepte, ein eigenes modulares, leichtes und kostengünstiges System der nächsten Generation zu realisieren, das die zuvor angesprochenen Nachteile berücksichtigt und weitere Funktionen übernimmt.

Assistenzsysteme, die nur Teilfunktionen ausführen, konnten ihre Effektivität in Studien bereits belegen. So ist vor allem die Kameraführung wesentlich ruhiger und kontrollierter [42]. Ebenso konnte die Machbarkeit von solochirurgischen Eingriffen gezeigt werden [43, 44].

Die heute verfügbaren klinischen Ergebnisse roboterassistierter Eingriffe in der Viszeralchirurgie sind allerdings sehr dürftig. Neben einer Vielzahl von Fallberichten, einigen Machbarkeitsstudien und wenigen vergleichenden Studien gibt es lediglich zwei prospektiv randomisierten Studien, wobei die Qualität einer dieser Studien sehr zweifelhaft erscheint [40]. Derzeit kann also nur festgestellt werden, dass viszeralchirurgische Eingriffe mit einem Telemanipulator sicher durchführbar sind, ohne dass bisher ein objektiver Vorteil für den Patienten nachgewiesen werden konnte. Vielmehr zeigen einige Serien eine verlängerte Operationszeit bei ansonsten erheblich höheren Kosten.

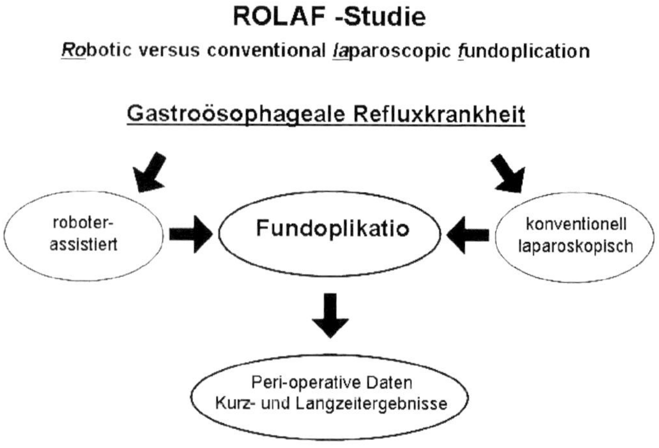

Abb. 6. Die ROLAF-Studie ist eine prospektiv randomisierte und verblindete Studie zur Fundoplicatio. Neben perioperativen Daten sowie funktionellen Kurz- und Langzeitergebnissen wird vor allem die postoperative Lebensqualität der Patienten untersucht.

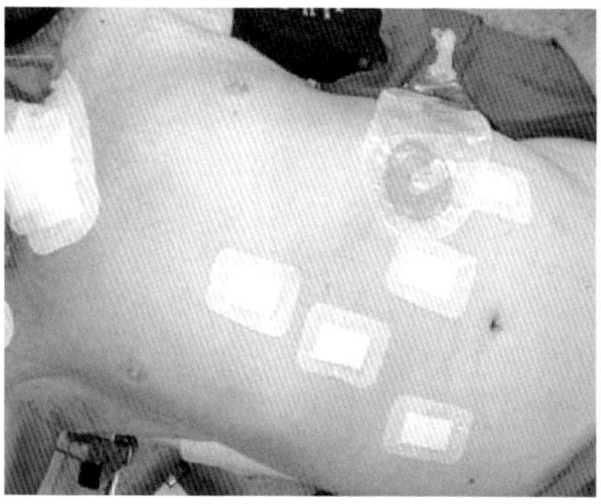

Abb. 7. Patient nach einer laparoskopischen roboterassistierten transhiatalen Ösophagusresektion. Die Präparation des Ösophagus erfolgt mit Hilfe des Telemanipulators transhiatal. Thorax und Abdomen werden dabei nicht eröffnet.

Es gibt allerdings durchaus Indikationen, bei denen Vorteile für den Patienten zu erwarten sind oder zumindest möglich erscheinen. So wird derzeit von unserer Klinik eine prospektiv randomisierte und verblindete Studie zur Fundoplicatio (ROLAF-Studie) durchgeführt (Abb. 6). Des Weiteren führen wir die laparoskopische, roboterassistierte transhiatale Ösophagusresektion durch (Abb. 7). Hier wird die Mobilisation des Ösophagus transhiatal bis zum Jugulum einschließlich der mediastinalen Lymphadenektomie vorgenommen. Die Magenschlauchbildung erfolgt in konventioneller laparoskopischer Technik.

Die Ergebnisse weiterer dringend notwendiger qualitativ hochwertiger Studien werden die weitere Verbreitung dieser Technik bestimmen, die unter Umständen nur einen Zwischenschritt für eine neue Art computerbasierter Chirurgie der Zukunft darstellt.

Literatur

1 Buess GF, Schurr MO, Fischer SC: Robotics and allied technologies in endoscopic surgery. Arch Surg 2000;135:229–235.

2 Schurr MO, Arezzo A, Buess GF: Robotics and systems technology for advanced endoscopic procedures: Experiences in general surgery. Surg Laparosc Endosc 1996; 6:167–175.

3 Allaf ME, Jackman SV, Schulam PG, Cadeddu JA, Lee BR, Moore RG, Kavoussi LR: Laproscopic visual field: voice vs foot pedal interfaces for control of the AESOP robot. Surg Endosc 1998;12:1415–1418.

4 Omote K, Feussner H, Ungeheuer A, Arbter K, Wie GQ, Siewert JR, Hirzinger G: Self-guided robotic camera control for laparoscopic surgery compared with human camera control. Am J Surg 1999;177:321–324.

5 Gottlieb S: Surgeons perform transatlantic operation using fibreoptics. BMJ 2001;323:715.

6 Yavuz Y Ystgaard B, Skogvoll E, Marvik R: A comparative study evaluating the performance of surgical robots AESOP and Endosista. Surg Laparosc Endosc Percut Tech 2000;10:163–167.

7 Lobontiu A: The da Vinci surgical system performing computer-enhanced surgery. Osp Ital Chir 2001;7:367–372.

8 Himpens J, Leman G, Cadiere GB: Telesurgical laparoscopic cholecystectomy. Surg Encosc 1998; 12:1091.

9 Broeders IAMJ, Ruurda JP: Robotics in laparoscopic surgery: current status and future perspectives. Scand J Gastroenterol 2002;37(suppl 236): 76–80.

10 Giulianotti PC, Coratti A, Angelini M, Sbrana F, Cecconi S, Balestracci T, et al: Robotics in general surgery: personal experience in a large community hospital. Arch Surg 2003;138:777–784.

11 Cadiere GB, Himpens J, Germay O, Izizaw R, Degueldre M, Vandromme J, et al: Feasibility of robotic laparscopic surgery: 146 cases. World J Surg 2001;25,1467–1477.

12 Ruurda JP, Broeders IA, Simmermacher RP, Rinkes IH, Van Vroonhoven TJ: Feasibility of robot-assisted laparoscopic surgery: an evaluation of 35 robot-assisted laparoscopic cholecystectomies. Surg Lasparosc Endosc Percutan Tech 2002;12:41–45.

13 Chitwood WR Jr, Nifong LW, Chapman WH, Felger JE, Bailey BM, Ballint T, et al: Robotic surgical training in an academic institution. Ann Surg 2001;234:475–486.

14 Perez A, Zinner Mj, Ashley SW, Brooks DC, Whang EE: What is the value of telerobotic technology in gastrointestinal surgery? Surg Endosc 2003;17:811–813.

15 Talamini MA, Chapman S, Horgan S, Melvin WS: A prospective analysis of 211 robotic-assisted surgical procedures. Surg Endosc 2003;17: 1521–1524.

16 Hashizume M, Shimada M, Tomikawa M, Ikeda Y, Takahashi I, Abe R, et al: Early experience of endoscopic procedures in general surgery assisted by a computer-enhanced surgical system. Surg Encosc 2002;16:1187–1191.

17 Hanisch E, Markus B, Gutt C, Schmandra TC, Encke A: Robot-assisted laparoscopic cholecystectomy and fundoplication – initial experiences with the da Vinci system. Chirurg 2001;72: 286–288.

18 Corcione F, Esposito C, Cuccurullo D, Settembre A, Miranda N, Amato F, Pirozzi F, Caiazzo P: Advantages and limits of robot-assisted laparoscopic surgery: preliminary experience. Surg Encosc 2005;19(1):117–119.

19 Miller DW, Schlinkert RT, Schlinkert DK: Robot-assisted laparoscopic cholecystectomy: initial Mayo Clinic Scottsdale experience. Mayo Clin Proc 2004;79(9):1132–1136.

20 Bodner J, Hoeller E, Wykypiel H, Klingler P, Schmid T: Long-term follow-up after robotic cholecystectomy. Am Surg 2005;71:281–285.

21 Gutt CN, Markus B, Kim ZG, Meininger D, Brinkmann L, Heller K: Early experiences of robotic surgery in children. Surg Endosc 2002;16: 1083–1086.

22 Talamini M, Campbell K, Stanfield C: Robotic gastrointestinal surgery: early experience and system description. J Laparoendosc Adv Surg Tech A 2002;12:225–232.

23 Wykypiel H, Wetscher GJ, Klaus A, Schmid T, Gadenstaetter M, Bodner J, et al: Robot-assisted laparoscopic partial posterior fundoplication with the da Vinci system: initial experiences and technical aspects. Langenbecks Arch Surg 2003;387: 411–416.

24 Beninca G, Garrone C, Rebecchi F, Giaccone C, Morina M: Robot-assisted laproscopic surgery. Preliminary results at our center. Chir Ital 2003; 55:321–331.

25 Melvin WS, Needleman BJ, Krause KR, Schneider C, Wolf RK, Michler RE, et al: Computer-enhanced robotic telesurgery. Initial experience in foregut surgery. Surg Endosc 2002;16:1790–1792.

26 Weber PA, Merola S, Wasielewski A, Ballantyne GH: Telerobotic-assisted laparoscopic right and sigmoid colectomies for benign disease. Dis Colon Rectum 2002;45:1689–1696.

27 Vibert E, Denet C, Gayet B: Major digestive surgery using a remote-controlled robot: the next revolution. Arch Surg 2003;138:1002–1006.

28 Hashizume M, Sugimachi K: Robot-assisted gastric surgery. Surg Clin North Am 2003;83: 1429–1444.

29 Horgan S, Berger RA, Elli EF, Espat NJ: Robotic-assisted minimally invasive transhiatal esophagectomy. Am Surg 2003;69:624–626.

30 Desai MM, Gill IS, Kaouk JH, Matin SF, Sung GT, Bravo EL: Robotic-assisted laparoscopic adrenalectomy. Urology 2002;60:1104–1107.

31 Hubens G, Coveliers H, Balliu L, Ruppert M, Vaneerdeweg W: A performance study comparing manual and robotically assisted laparoscopic surgery using the da Vinci system. Surg Endosc 2003;17:1595–1599.

32 Dakin GF, Gagner M: Comparison of laparoscopic skills performance between standard instruments and two surgical robotic systems. Surg Endosc 2003;17:574–579.

33 Prasad SM, Maniar HS, Chu C, Schuessler RB, Damiano RJ Jr: Surgical robotics: impact of motion scaling on task performance. J Am Coll Surg 2004;199:863–868.

34 Melvin WS, Needleman BJ, Krause KR, Schneider C, Ellison EC: Computer-enhanced versus standard laparoscopic antireflux surgery. J Gastrointest Surg 2002;6:11–16.

35 Cadier GB, Himpens J, Vertruyen M, Bruyns J, Germay O, Leman G, et al: Evaluation of telesurgica (robotic) NISSEN fundoplication. Surg Endosc 2001;15:918–923.

36 Ruurda JP, Visser PL, Broeders IA: Analysis of procedure time in robot-assisted surgery: comparative study in laparoscopic cholecystectomy. Comput Aided Surg 2003;8:24–29.

37 Delaney CP, Lynch AC, Senagore AJ, Fazio VW: Comparison of robotically performed and traditional laparoscopic colorectal surgery. Dis Colon Rectum 2003;46:1633–1639.

38 D'Annibale A, Morpurgo E, Fiscon V, Trevisan P, Sovernigo G, Orsini C, Guidolin D: Robotic and laparoscopic surgery for treatment of colorectal diseases. Dis Colon Rectum 2004;47: 2162–2168.

39 Brunaud L, Bresler L, Ayav A, Tretou S, Cormier L, Klein M, et al: Advantages of using robotic DaVinci system for unilateral adrenalectomy: early results. Ann Chir 2003;128:530–535.

40 Morino M, Beninca G, Giraud G, Del Genio GM, Rebecchi F, Garrone C: Robot-assisted vs laparoscopic adrenalectomy. A prospective randomized controlled trial. Surg Endosc 2004;18: 1742–1746.

41 Horgan S, Vanuno D, Benedetti E: Early experience with robotically assisted laparoscopic donor nephrectomy. Surg Laparosc Endosc Percutan Tech 2002;12:64–70.

42 Kavoussi LR, Moore RG, Adams JB, Partin AW: Comparison of robotic versus human laparoscopic camera control. J Urol 1995;154:2134–2146.

43 Geis WP, Kim HC, Brennan EJ Jr, McAfee PC, Wang Y: Robotic arm enhancement to accommodate improved efficiency and decreased resource utilization in complex minimally invasive surgery procedures. Stud Health Technol Inform 1996;29: 471–481.

44 Ballantyne GH, Merola P, Weber ÄA, Wasielewski A: Robotic solutions to the pitfalls of laparoscopic colectomy. Osp Ital Chir 2001;7: 405–412.

Chirurgische Gastroenterologie Interdisziplinär

Übersichtsarbeit · Review Article

Chir Gastroenterol 2005;21(suppl 2):38–42
DOI: 10.1159/000089346

Mikro- und Nanosystemtechnik – medizintechnologische Aspekte am Beispiel eines Blasendrucksensors

Bernhard Clasbrummel[a] Gert Muhr[a] Birger Jettkant[a] Johannes Dehm[b] Roland Schlierf[c] Winfried Mokwa[c] Gunnar Möllenhoff[d]

[a] Berufsgenossenschaftliche Kliniken Bergmannsheil, Ruhr-Universität Bochum,
[b] VDE Initiative MikroMedizin, Frankfurt/M.,
[c] Institut für Werkstoffe der Elektrotechnik, RWTH Aachen,
[d] Raphaelsklinik, Münster, Deutschland

Schlüsselwörter
Mikrotechnik · Nanotechnik · Sensorik · Telemetrie · biologische Systeme

Zusammenfassung
In der minimal invasiven Diagnostik, Therapie und Therapiekontrolle, bei Implantaten oder Medikamentdosiersystemen sind heute mikro- und nanotechnologische Komponenten wesentliche Bausteine von Gesamtsystemen. Aktuelle Entwicklungen zeigen ein weites Feld von Einsatzmöglichkeiten der Mikro- und Nanotechnik für medizinische Anwendungen. Allein der Weltmarkt physikalischer Sensoren für Druck, Temperatur und Beschleunigung erreichte im Jahr 2003 ein Handelsvolumen von mehreren 100 Milliarden EUR. Aufgrund extremer Miniaturisierung durch mikro- und nanotechnologische Methoden bieten sich kleinste Sensoren für medizinische Anwendungen immer mehr an. Werden physikalische Sensoren mit einer Telemetrieeinheit zur drahtlosen Datenübertragung verbunden, biokompatibel verpackt und minimal invasiv implantiert, können Parameter von Körperfunktionen – wie Drücke in Organen oder Blutdruck, Beschleunigung von Gefäßwänden, Temperatur oder Nervenströme – permanent und kabellos gemessen werden. Für den Bereich der Drucksensorik eröffnen sich in der chirurgischen Diagnostik eine Reihe von Möglichkeiten, die von Druckmessungen im Gehirn nach Trauma, Kompartmentdruckmessungen im Abdomen, Organen oder Extremitäten bis hin zu Blasendruckmessungen bei Patienten mit Querschnittssyndrom reichen. In der vorliegenden Arbeit wird am Beispiel eines Blasendrucksensors dieser Hochtechnologiebereich aus chirurgischer Sicht dargestellt und diskutiert.

Key Words
Microtechnique · Nanotechnique · Sensor technology · Telemetry · Biological systems

Summary
Micro- and Nanotechnique – Medical Technological Aspects: The Example of the Vesical Pressure Sensor
Micro- and nanotechnical devices are already today essential components of minimally invasive diagnostic procedures, treatment and therapy control. A broad range of medical applications of micro- and nanotechniques can be identified. The global market of sensors for pressure, temperature and acceleration only comprehended several hundred billions EUR. Extremely miniaturized sensors become increasingly suitable for medical applications. If sensors are combined with telemetry units and biocompatibly capsuled and implanted by minimally invasive methods, various parameters of physiology such as pressure, acceleration of vessel walls, temperature or electrophysiological signals from nerves can be assessed permanently and without any wires. Pressure-sensitive sensors offer various possibilities in surgical diagnostics ranging from neurosurgical pressure monitoring to assessment of abdominal compartment pressure or vesical pressure monitoring in patients with hemiplegia. This field of high technology is described in detail in this paper, and further applications especially in visceral surgery are discussed.

KARGER
Fax +49 761 452 07 14
E-mail Information@Karger.de
www.karger.com

Accessible online at:
www.karger.com/cga

PD Dr. med. Bernhard Clasbrummel
Berufsgenossenschaftliche Kliniken Bergmannsheil
Universitätsklinik, Ruhr-Universität Bochum
Bürkle-de-la-Camp-Platz 1, 44789 Bochum, Deutschland
E-mail bernhard.clasbrummel@ruhr-uni-bochum.de

Einleitung

Die Entwicklungen von mikro- und nanotechnologischen Prozesstechniken bieten die Chance für völlig neue Typen von miniaturisierten Systemen in der Medizintechnologie. Mikro- und Nanosysteme sind bereits integraler Bestandteil vieler hochtechnologischer Produkte in unserem täglichen Leben. Hierzu zählen unter anderem Beschleunigungssensoren in Airbag-Systemen, Druckköpfe von Tintenstrahldruckern oder optische Scan-Systeme in CD- oder DVD-Recordern. In der Medizin werden miniaturisierte Systeme in Herzschrittmachern, Hörimplantaten und implantierbaren Medikamentenpumpen eingesetzt. Weitere implantierbare Systeme zur Messung von Organ- und Nervenfunktionen sind auf dem Weg in die klinische Erprobung [1–3].

Mikro- und nanotechnologische Systeme für die Medizin haben den Status von visionären Projekten in Forschungslaboren in vielen Bereichen verlassen. Zunehmend werden Systeme der Medizintechnologie mit mikro- und nanotechnologischen Methoden veredelt. Hierzu gehören kleinste flexible Endoskope, autarke Endokameras für die Darmdiagnostik oder auch optische, kabelgebundene Systeme zur Messung blutchemischer Parameter wie Blutgase auf Intensivstationen [3–5]. Diese Beispiele zeigen, dass die Mikro- und Nanotechnologie wichtige Beiträge in der weiteren Entwicklung von Kathetern und Endoskopiesystemen leisten kann, die auch für die Viszeralchirurgie direkt oder indirekt von erheblicher Bedeutung sein können.

Ein in der letzten Dekade neu entstandenes Forschungs- und Entwicklungsfeld sind kabellos arbeitende, stark miniaturisierte Systeme wie z. B. miniaturisierte implantierbare (Druck-)Sensoren [1, 6–11]. Im Hinblick auf die Weiterentwicklung von implantierbaren Mikrosystemen für die Medizin sind die Bereiche der Biokompatibilität von Implantaten, eine biokompatible Aufbau- und Verbindungstechnik und eine richtige Dimensionierung der Implantate zu berücksichtigen. Darüber hinaus müssen eine sichere und robuste Funktionsweise der Implantate, eine robuste telemetrische Übertragung und eine einfache Bedienbarkeit gewährleistet sein.

Systeme der medizinischen Mikro- und Nanotechnologie können in folgende Gebiete eingeteilt werden:

- physikalische oder chemische Sensorsysteme einschließlich komplexer Analysesysteme,
- biologische Systeme, z. B. künstliche Organe,
- aktive Systeme (Herzschrittmacher, Kochlea-Implantate, Neuroprothesen, implantierbare Medikamentdosiersysteme, Katheter und Endoskope, mikrochirurgische Instrumente, ...),
- sensorkontrollierte Robotersysteme.

In dem vom Bundesministerium für Bildung und Forschung (BMBF) unterstützten Infrastrukturvorhaben IMEX (Implantierbare und Extrakorporale Modulare Mikrosystemtechnikplattform) wurde das Ziel verfolgt, einen medizinischen Baukasten und Standards für Mikro- und Nanosysteme in der Medizintechnologie aufzubauen [11]. Zur Erfüllung dieser Aufgabe wurden folgende Gebiete bearbeitet: Beschreibung von Anwendungen von Mikro- und Nanosystemen für die Klinik und ambulante Medizin, Sensoren und Konzepte, Standardisierung, Märkte (Chancen und Risiken) und regulatorische Rahmenbedingungen. Partner dieses Konsortiums haben sich zu Projektbeginn zur Initiative Mikromedizin zusammengeschlossen. Beteiligt waren die Berufsgenossenschaftliche Kliniken Bergmannsheil, Bochum, die Deutsche Gesellschaft für Biomedizinische Technik im VDE, Frankfurt/Main, das Forschungszentrum Informatik, Karlsruhe, das Fraunhofer-Institut Biomedizinische Technik, St. Ingbert, das Institut für Halbleiter- und Mikrosystemtechnik, TU Dresden, das Fraunhofer-Institut Mikroelektronische Schaltungen, Duisburg, das Institut für Werkstoffe der Elektrotechnik, RWTH, Aachen und das Steinbeis Transfer Center, Tübingen.

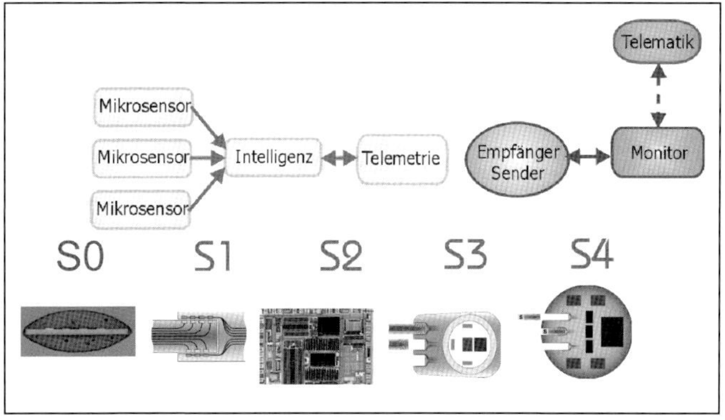

Abb. 1. Skizze eines medizinischen Baukastens für implantierbare Mikro- und Nanosysteme. Die Schnittstellen S0–S4 kennzeichnen Funktionsübergänge respektive Schnittstellen, die auf kleinstem Raum realisiert werden.

Das Prinzip des Baukastens für Mikro- und Nanosysteme in der Medizintechnologie ist in der Abbildung 1 dargestellt. Die Schnittstellen S0–S4 wurden vom IMEX-Konsortium wie folgt definiert:

- Schnittstelle S0: Systemübergreifende Schnittstelle zwischen Gewebe und Sensor für implantierbare Systeme.
- Schnittstelle S1: Mechanische, optische, elektrische und informationelle Schnittstelle, die Sensoren mehrkanalig mit intelligenter Chiptechnologie verbindet, einschließlich der notwendigen Protokolle.
- Schnittstelle S2: Interface der Chiptechnologie mit der Signalverarbeitungs- und Telemetrieelektronik einschließlich der notwendigen Signalverarbeitungsalgorithmen.
- Schnittstelle S3: Verbindung einer integrierten, implantierbaren oder extrakorporalen Telemetrieeinheit mit einem externen Sende- und Empfangskopf, einschließlich der notwendigen Protokolle und Übertragungsverfahren.
- Schnittstelle S4: externe Schnittstelle, die digitale Signale von einer Sende-/Empfangseinheit mehrkanalig aufnehmen, weiterverarbeiten und an einen Monitor leiten kann. Zusätzlich soll die Schnittstelle Signale externer Sensorik aufnehmen und so als autonomes externes Sensorsystem fungieren können.

Um das Prinzip dieses Baukastens klinisch testen und anwenden zu können, wurde ein Blasendrucksensor aufgebaut. Am Beispiel des Blasendrucksensors werden in dieser Arbeit Möglichkeiten von implantierbaren Mikrosystemen aufgezeigt. Einen umfassenden Überblick über eine kaum überschaubare, breite Palette von medizintechnologischen Mikro- und Nanosystemen kann diese Arbeit nicht geben. Daher wählten wir einen anwendungsorientierten interdisziplinären Ansatz zur Beschreibung aktueller Möglichkeiten in diesem spannenden Zukunftsfeld.

Allgemeine Anforderungen an implantierbare Mikrosysteme

Gegenüber extrakorporalen Sensoren oder kabelgebundenen Sensoren erfordern für den Menschen implantierbare Mikrosysteme eine Berücksichtigung von biologischen Umgebungsparametern, was die Entwicklung solcher Sensorsysteme anspruchsvoller gestaltet. Implantierbare Sensoren sollten biokompatibel sein und keine entzündliche Fremdkörperreaktion hervorrufen, also immunologisch inert sein. Um eine möglichst dauerhafte Implantation zu ermöglichen, sollten Sensorfunktionen günstigerweise über einen langen Zeitraum gewährleistet sein. Messwerte müssen über einen längeren Zeitverlauf stabil sein, eine Messwertverschiebung darf sich nur in kleinen relativen Fenstern bewegen.

Im Falle eines implantierbaren telemetrischen Drucksensors müssen der Sensorchip, die Technologie zur Datenverarbeitung und die Telemetriemodule einschließlich der implantierbaren Empfänger- und Senderspule auf kleinem Raum integriert werden. Die überwiegend elektronischen Bauteile müssen biokompatibel verpackt werden, was bei starren Kapselungen wie beim Herzschrittmacher (Titan) oder Hörgeräten (Aluminiumoxid) gut gelingt. Bei flexiblen Mikrosystemen sind die Ansprüche an die verwendeten Materialien höher. Die flexible Kapselung sollte eine biologisch hermetische Abschirmung der elektronischen Mikrosysteme gewährleisten, insbesondere toxische Ionen elektronischer Bauteile sollten nicht oder in unschädlicher Konzentration in die Umgebung diffundieren.

Die gesammelten Sensordaten werden in der Regel im implantierbaren System analysiert, digital verarbeitet, komprimiert und an eine interne Telemetrieeinheit geleitet. Idealerweise kann eine externe Telemetrieeinheit die internen Daten drahtlos kontinuierlich oder zu bestimmten Zeitpunkten abrufen. Aus diesen Daten können Organparameter oder Zustände von Organfunktionen abgeleitet werden, was im Falle einer Abweichung eine Alarmfunktion auslösen kann. Darüber hinaus können solche Daten in Datenbanken gespeichert werden, was eine Langzeitbeobachtung von Organfunktionen erlaubt.

Technologie

Spezifikationen des Blasendrucksensorsystems

Das Blasendrucksensorsystem besteht aus einer PC-gesteuerten externen Lesestation mit Anzeigeeinheit und einer implantierbaren Kapsel. Diese Kapsel beinhaltet einen speziellen integrierten Schaltkreis (ASIC), welcher aus einem kapazitiven Absolutdrucksensor mit induktiver Telemetrieeinheit besteht, sowie zusätzlich notwendigen passiven Bauelementen (Sende/Empfangsspule, 2 Zener-Dioden, 2 Kapazitäten). Die Entwicklung und Herstellung des Sensor-ASIC wurde am Fraunhofer-Institut für Mikroelektronische Schaltungen, Duisburg, durchgeführt. Alle Bauelemente sind auf einer flexiblen Trägerfolie aufgebaut. Die Kapselung besteht auf zwei Materialien. Zum einen ein biokompatibles Silikon, welches die Form der Kapsel bestimmt. Zum anderen eine zirka 5 μm dicke Parylene-C-Schicht, über deren Dicke die Steifigkeit der Kapsel eingestellt werden kann.

Die Fertigung des Transponder mit dem hybriden, integrierten, kapazitiven Drucksensor ASIC erfolgte in folgenden Prozessschritten: Die Basis bildet eine reißfeste Polyamid-Trägerfolie von mindestens 10 μm Dicke. Mit Hilfe der Technologien Lithographie und Goldgalvanik wurden Leiterbahnen aufgebracht. Anschließend wurde das Sensor ASIC auf die Trägerfolie aufgebracht (Flip-Chip-Technologie). In weiteren Schritten wurden alle passiven Komponenten mit Leitkleber kontaktiert. Die Ferrit-Spule wurde als letzte mit einem unter UV-Licht aushärtenden Kleber montiert und leitend verbunden. Zwei Zener-Dioden schützen den Sensor vor Überspannung und verhindern eine Überhitzung.

Die gesamte implantierbare Kapsel arbeitet vollständig ohne eigene Energiequellen wie z.B. Batterien. Die notwendige Energie wird induktiv von außerhalb des Körpers durch eine externe Lesestation zum Implantat übertragen. Als Grundfrequenz dient hierbei die für medizinische Applikationen zugelassene Frequenz von 133 KHz. Die gemessenen Daten werden mit Hilfe einer Amplitudenmodulation über die gleiche Verbindung nach außen gesendet.

Ergebnisse

Das System erzielt eine Reichweite von 8–10 cm. Durch ein längliches Design des runden Implantats (Abb. 2) kann das Sensorsystem im Rahmen einer Zystoskopie implantiert werden. Zur Lagebefestigung dienen zwei integrierte Ösen jeweils am Ende der Kapsel. Alternativ ist eine Implantation mit Kathetern (Innendurchmesser 4 mm, 12 F) möglich.

Um langfristig eine Bioverträglichkeit im aggressiven Körpermilieu zu gewährleisten, wurde ein neues Verfahren zur Kapselung entwickelt. Zunächst wurde das Mikrosystem in biokompatiblem Silikon eingebettet und danach auf eine 5,1 μm dicke Parylene-C-Barriereschicht abgeschieden.

Der Drucksensor besteht aus zwei Elementen, dem Sensor und dem Referenzsensor. Der Referenzsensor besitzt eine sehr geringe Druckempfindlichkeit, aber die gleiche Temperaturabhängigkeit wie der Sensor. So ergibt sich für den Quotienten der beiden Sensorausgänge eine sehr geringe Temperaturabhängigkeit. Die Sensordaten sind in drei Bereiche unterteilt, den Drucksensorwert, den Referenzdruckwert und den Temperaturwert. Für die Linearisierung des Temperaturkompensierung sind 8 unterschiedliche Koeffizienten im EEPROM jedes Transponders gespeichert, welche für die Berechnung von Druck und Temperatur im portablen Lesegerät notwendig sind. Die Daten beinhalten ferner die ID-Nummer des Chips, die Versionsnummer, den Bereichskoeffizient, die

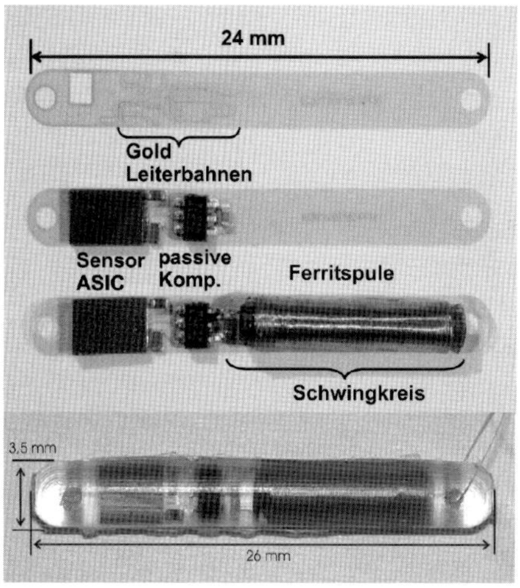

Abb. 2. Schematische Darstellung der Komponenten eines implantierbaren Mikrosystems am Beispiel eines Blasendrucksensors. Das untere Bild zeigt das biokompatibel gekapselte Sensorsystem. Man sieht an den Enden des Implantats jeweils ein Loch zur Befestigung.

Kalibrierdaten vor der Verkapselung sowie die Prüfsummen (CRC), um die Datenintegrität zu gewährleisten.

Um das Verhalten des Sensorsystems unter möglichst realistischen Umgebungsbedingungen vor einem klinischen Einsatz zu erproben, wurden zunächst Langzeit-in-vitro-Versuche durchgeführt. Zunächst wurde das Verhalten des Sensorsystems bezüglich der Reichweite näher untersucht. Hierbei wurde über die Mikrospule mit Ferrit-Kern die induzierte Versorgungsspannung des Sensors in Abhängigkeit von der Reichweite in Luft untersucht. Unter diesen Laborbedingungen konnte wiederholt eine Strecke von 120 mm überbrückt werden. Diese Reichweite verringerte sich um zirka 7% in Wasser auf etwa 110 mm. Eine Wiederholung der Experimente nach Einkapselung mit einer Kombination aus Silikon und Parylene-C hatte auf die Eigenschaften des Sensors und des Transponders keinen signifikanten Einfluss. Da der elektronische Aufbau des Systems mit üblichen Standardkomponenten mit Toleranzen von bis zu 5% erfolgt, weicht die Resonanzfrequenz von 133 KHz um maximal ±7 kHz ab. Folglich verringert sich die Reichweite dadurch um bis zu 20%. Fertigungstechnisch lässt sich diese Reichweitenminderung für jedes Sensorsystem durch abstimmbare Mikrospulen kompensieren. Die von uns durchgeführten Labormessungen wurden zunächst nur mit nichtoptimierten Systemen durchgeführt. Unter diesen Bedingungen erreichten wir im Wassermilieu eine drahtlose Funkstrecke von 8–10 cm.

Das Drucksignal des Sensors in Wasser sinkt signifikant in den ersten 18 h. Es ist bekannt, dass Silikone Wasser aufnehmen und daher die hermetisch dichte Kapsel nach innen Druck ausübt. Betrachtet man das Signal des Sensors jedoch über mehr als 60 h, so ist jede weitere zeitabhängige Signalabweichung gegenüber dem zu messenden Blasendruck vernachlässigbar. Weiterführende Untersuchungen bezüglich der Absorption und Diffusion von Wasser sind notwendig, um eine Langzeitstabilität über Jahre hinweg garantieren zu können.

Diskussion

Entwicklungsschritte in der Medizintechnologie beeinflussen in zunehmendem Ausmaß klinische Diagnose- und Therapiesysteme. Im Bereich minimal invasiven Technologien, in der Endoskopie und in der Mikrochirurgie ermöglichte die Miniaturisierung neue, effektive und Patienten schonendere Behandlungsmethoden [3].

Am Beispiel des Blasendrucksensors haben wir ein komplexes implantierbares Mikrosystem in Baukastenformat vorgestellt. Die modulare Bauweise wurde gewählt, um in Zukunft auch weitere Sensoren für andere medizinische Fragestellungen zeitnah in ein implantierbares Gesamtsystem integrieren zu können. Um eine patientengerechte ergonomische Handhabung zu ermöglichen, ist eine kompakte Lesestation als Nachfolger des PC-basierten Prototyps aktuell in Entwicklung. Eine drahtlose Anbindung von leichten tragbaren Lesestationen via Bluetooth an tragbare Monitorsysteme (PDA oder Mobiltelefon) soll einen hohen Trage- und Bedienkomfort ermöglichen.

Das breite Forschungs- und Entwicklungsfeld der medizinischen Mikro- und Nanotechnologie kann aus unserer Sicht nur interdisziplinär weiterentwickelt werden. Daher wurden in der Deutschen Gesellschaft für Chirurgie und in der Deutschen Gesellschaft für Biomedizinische Technik Arbeitsgruppen gebildet, die gemeinsam dieses Thema durch interdisziplinäre Forschungs- und Entwicklungsprojekte voranbringen. Ein Beispiel ist das Infrastrukturprojekt IMEX, welches vom BMBF gefördert wurde [11].

Miniaturisierte (Druck-)Sensorsysteme in Verbindung mit passiven Telemetrien in Baukastenformat können als Schlüsseltechnologien für zukünftige implantierbare medizinische Systeme angesehen werden. Solche Implantate haben folgende Vorteile:

- verminderte Infektionsgefahr,
- kontinuierliche Datenakquisition,
- minimaler Zero-Drift,
- in der Regel verbesserte Therapie aufgrund frühzeitiger Datenerfassung und zeitgerechter Therapiemöglichkeit.

Weitere wichtige Anwendungsfelder für Drucksensorsysteme sind aus unserer Sicht Druckmessungen im Blut, Hirndruckmessung, Kompartmentdruckmessung oder auch Messung von Drücken in gekapselten Organen, da eine Organschwellung im Rahmen einer Entzündungsreaktion in der Regel mit einem Druckanstieg (aufgrund der umgebenden Organkapsel) einhergeht.

Besonders reizvoll ist es, in diesem Zusammenhang auch die künftigen Auswirkungen dieser «High-end»-Technologie auf die Viszeralchirurgie zu diskutieren.

Implantierbare Therapiesysteme mit hoch entwickelter Sensorik und Aktorik konnten z. B. die chirurgische Therapie der Adipositas revolutionieren. Artifizielle Sphinkteren könnten die Antirefluxchirurgie in ihrer heutigen Form ablösen oder der Rektumexstirpation ihren stark verstümmelnden Charakter nehmen; biologische Systeme, die minimal invasiv implantiert werden können, könnten die konventionelle Transplantationschirurgie ersetzen, um nur einige wenige Anwendungsfelder zu nennen. Mehr noch als einzelne Elemente (Sensoren, Effektoren) werden mikro- und nanotechnologische integrierte Systeme zu einer anfänglich zwar langsamen, aber langfristig dramatischen Änderung auch in der Viszeralchirurgie führen. Es ist deshalb sicher ratsam, dass auch Chirurgen diese neuen technischen Entwicklungen aufmerksam verfolgen und aktiv begleiten, um auf die kommenden Veränderungen vorbereitet zu sein.

Dank

Diese Arbeit wurde unterstützt vom Bundesministerium für Bildung und Forschung. Projekt IMEX, Förderkennzeichen 16 SV 1587.

Literatur

1 Clasbrummel B, Muhr G, Möllenhoff G: Pressure sensors for the monitoring of diseases in surgical care. Minim Invasive Ther Allied Technol 2004;13:105–109.
2 Knittel J, Schnieder L, Buess G, Messerschmidt B, Possner T: Endoscope-compatible confocal microscope using a gradient-index lens system. Optics Commun 2001;188:267–273.
3 Wagler P, Heyn SP, Clasbrummel B: Mikrotechnik in der Medizin. Dtsch Ärztebl, 1999;96: 1830–1834.
4 Kersjes R, Mokwa W: (1996). Compatible CMOS microsysterns for automotive and for medical applications; in Chau K, Roop RM (eds): Micromachined Devices and Components. 1996, Austin, Proc SPIE, The International Society for Optical Engineering, pp 37–48.
5 Leuerer T, Mokwa W: Optimization of the energy transfer for planar micro-coils in medical implants. 12th Micromechanics Europe Workshop, 16.–18. September 2001, Cork, Ireland, pp 221–224.
6 Clasbrummel B: Transfer of automotive microsystems into medical applications. Micro.tec Hannover 2000;2:315–317.
7 Dudenbostel D, Krieger KL, Candler C, Laur R: A new passive CMOS telemetry chip to receive power and transmit data for a wide range of sensor applications. 1997 Int. Conf. On Solid State Sensors and Actuators, TRANSDUCERS 97, Chicago June 16–19, 1997. Digest Tech Papers 1997;2:995–998.
8 Hierold C, Clasbrummel B, Behrend D, Scheiter T, Steger M, Oppermann K, Kapels H, Landgraf E, Wenzel D, Etzrodt D: Implantable low power integrated pressure sensor system for minimal invasive telemetric patient monitoring. Proc IEEE MEMS Heidelberg 1998:568–573.
9 Hierold C: From micro- to nanosystems: mechanical sensors go nano. J Micromech Microeng 2004;14:1–11.
10 Zacheja J, Wenzel D, Bach T, Clasbrummel B: Mikromechanische Drucksensoren für die medizinische Bewertung von Blutgefäßen und 2 Bypässen nach chirurgischen Eingriffen. Biomed Tech 1998;43:182–183.
11 *www.vde.com/VDE/Fachgesellschaften/DGBMT/Arbeitsgebiete/Mikromedizin/Technik.htm.*